Lus na Tùise

lavender

A chatrìona,

Mìle taing!

Marcas.

Lus na Tùise

lavender

le | *by*

Marcas Mac an Tuairneir

bradan
press

Halafacs, Alba Nuadh | *Halifax, Nova Scotia*
Canada

Chaidh Lus na Tùise fhoillseachadh
an toiseach le Bradan Press ann an 2016.

Clò a' Bhradain
Halafacs, Alba Nuadh, Canada
Post-dealain: info@bradanpress.com
www.bradanpress.com

Chuidich Comhairle nan Leabhraichean am foillsichear
le cosgaisean an leabhair seo.

LAGE 978-0-9950998-4-5 (leabhar bog)
978-0-9950998-5-2 (PDF)
978-0-9950998-6-9 (MOBI)
978-0-9950998-7-6 (EPUB)

*Lus na Tùise was first published
by Bradan Press in 2016.*

*Bradan Press
Halifax, Nova Scotia, Canada
E-mail: info@bradanpress.com
www.bradanpress.com*

*The Gaelic Books Council assisted the publisher
with the costs of publishing this book.*

*ISBN 978-0-9950998-4-5 (paperback)
978-0-9950998-5-2 (PDF)
978-0-9950998-6-9 (MOBI)
978-0-9950998-7-6 (EPUB)*

Do ar cuid dhaoine, air feadh an t-saoghail.

For our people, throughout the world.

Clàr-innse
Contents

Rò-ràdh

Anns an leabhar seo, air ainmeachadh air 'ginealach lus na tùise' is luchd-iomairt chòraichean gèidh eadar an dà chogadh mhòr, tha Marcas Mac an Tuairneir a' sgrìobhadh bhon t-suidheachadh aige mar bhàrd a tha fosgailte na fhearas-feise. Cuiridh an cruinneachadh an cèill beatha an duine gèidh, tro ghrunn dhàimhean: cleamhnas, romansa, càirdeas, teaghlach, foghlam agus dreuchd; tha an dealbh farsaing na shealladh de fhaireachdainn is beatha daonna ga shoilleireachadh.

Nì fòcas air bunaitean cultarail, is aithris meta-ìre air òrain, bàrdachd is sgrìobhadh, soilleir do luchd-leughaidh gu bheil am bàrd na chom-pàirtiche ann an cultar co-aimsireil nan Gàidheal. Gun a bhith mì-shòisealta, a dh'aona-ghnothach, na chleachdadh na Gàidhlig, mar a chìthear ann an obair Chrìsdein MhicIlleBhàin, seallaidh na dàin seo aithneachadh co-chuimseachd bàird ghèidh, aonaichte le coimhearsnachd is cultar nan Gàidheal.

B' fhada mus tàining co-fhilleadh den leithid. Mar a mhìnich prògram aithriseach a' BhBC, 'Coming Oot', 'Cha d' rinn Alba rud 'gèidh' sam bith fad nam bliadhna mòra.' Bha gnìomhan aona-ghnèitheach nan cinn-choire gu 1861 san RA; cha deach an dì-eucoireachadh ro 1967 ann an Sasainn. A dh'aindeoin a' chunnairt, strì luchd-iomairt do dhì-eucoireachadh, àbhaisteachadh is còraichean sìobhalta anns na 1970an. Cha deach dì-eucoireachadh a chosnadh ann an Alba ro 1980, fhad 's a bha mòr-chuid beò.

Às dèidh tuilleadh strì do luchd-iomairt is tiomnadh chumhachdan do dh'Alba, ghabhadh ri com-pàirteachasan sìobhalta ann an 2005 agus pòsadh aona-ghnèitheach

Foreword

In this volume, named after the 'lavender generation' of interwar gay rights activists, Marcas Mac an Tuairneir writes from his position as an openly gay Gaelic poet. The collection portrays a gay man's life through a multitude of relationships: sexual, romantic, amicable, familial, educational, and professional; the overall sense is of a human emotional life laid bare.

A focus on cultural institutions makes the reader aware of the author as a participant in contemporary Gaelic culture, as does a meta-level narrative about song, poetry, and writing. Rather than the deliberately asocial use of Gaelic intimated in earlier work by Christopher Whyte, these poems signal a gay poet's reciprocal acknowledgment of and integration into Gaelic community and culture.

Such integration has been long in coming. As the 2015 BBC documentary 'Coming Oot' described it, 'For many years Scotland just did not do gay.' Homosexual acts remained a capital offense until 1861 in the UK; same-sex sexual activity was only decriminalized in 1967 in England. Despite the danger, Scottish activists campaigned for decriminalization, normalization, and civil rights in the 1970s. Decriminalization did not take place until 1980 in Scotland, well within living memory for many.

Following further activist struggles and devolution, same-sex civil partnerships were approved in 2005 and in 2014 the Scottish Parliament approved same-sex marriage. In 2015 Scotland was named the best country for LGBTI legal equality in Europe.[1] Yet full acceptance and integration in families, communities, and religious institutions remains a work in progress.[2] In urban and rural areas, activists are taking a stand against isolation, silence, and hatred with an emphasis on public presence, connection, and education.

le Riaghaltas na h-Alba ann an 2014. Ann an 2015, chaidh Alba ainmeachadh mar an dùthaich as fhèarr son co-chothromachd laghail do dhaoine LGDTE (Leasbach, Gèidh, Dà-ghnèitheach, Tar-ghnèitheach is Eadar-ghnèitheach) anns an Roinn Eòrpa.[1] Tha obair fo làimh, ge-tà, son deagh-thoil is co-fhilleadh ann an teaghlaichean, coimhearsnachdan agus buidhnean cràbhaidh.[2] Anns na bailtean mòra is sgìrean dùthchail, bidh aig luchd-iomairt ri seasamh an aghaidh leth-oireachd, tost is gràin le aire air làthaireachd phoblach, co-bhanntachd is foghlam.

Tha an cruinneachadh làthaireach seo na dhìleab milieu mheasgaichte, far an deach co-fhilleadh sòisealta is àbhaisteachadh a sgaoileadh – rudan air a bheil buaidh dearmad nan linn, diùltadh is leth-bhreith, gam puingeachadh le corra spreadhadh casgaidh is fòirneirt.

Cuiridh an dàn 'Àirigh' an cèill air tost an leth a-staigh is nàire seana-Ghàidheil a mhair beò tro na leasachaidhean luath ach corrach sin. Nì sreath nan ochd dàn 'Gun Ainm' briseadh air an tost sin, a' tarraing dhealbhan is litrichean duine eileanaich do a cho-chèilidh, a tha na shaighdear Gàidhealach ri aghaidh a' Chiad Chogaidh Mhòir. Nì na dàin seo freagairt do chuimhneachain ceud bliadhna às dèidh a' Chogaidh sin ann an 2014, far an deach aithris air beatha gèidh na linne a sheachnadh, is a bheir guth a-steach do ghainnead aithris gèidh, sa Ghàidhlig, den cheudna linne – no aithris sam bith eile, ro choileanadh dì-eucoireachd.

Nì 'Triantan' iomradh air suaicheantas an triantain a chur na Nàsaich air dòigh do dhaoine gèidh sna campaichean is iad gan cleachdadh fad inntearnachadh nan aona-ghnèitheach is Olocost an Dàrna Chogaidh Mhòir. Nì seo buaidh-astair ais-ghabhalach do na dàin 'Gun Ainm' is bàrdachd eile air dà thuiteamas cho-aimsireil: 'Bioran' a

The present collection reflects this mixed milieu, where social acceptance and normalization has rapidly spread, but is still shaped by generational and institutional omission, denial, and discrimination, punctuated by occasional outbursts of condemnation and violence.

The poem 'Àirigh' expresses the internalized silence and shame of an older gay Gael who has lived through this rapid yet uneven change. The eight-poem 'Gun Ainm' cycle breaks the silence, imagining a series of letters written by a Hebridean man to his lover, a Highland soldier at the front in the Great War. The cycle responds to commemorations of the Great War centennial in 2014, when English-language gay narratives of the time were still largely bypassed, and reclaims a voice against the total lack of Gaelic-language gay narratives for this time period – or indeed any other until after decriminalization.

'Triantan' alludes to the triangular Nazi concentration camp badge for gay men, used in the internment of homosexuals in the Holocaust of the Second World War. This provides a retrospective context for the 'Gun Ainm' cycle, as well as for poems about two contemporary events: 'Bioran' which recounts the aftermath of an ethnic and homophobic hate crime attack against the poet, and 'Speactram' reacting to the 2016 mass shooting in a gay nightclub in Orlando, Florida.

Christopher Whyte and Cathal Ó Searcaigh are the first and only Gaelic poets, in Scotland and Ireland respectively, to identify as gay in their published work before the publication of Mac an Tuairneir's first poetry in 2006. In an earlier academic study, Mac an Tuairneir showed how their work contributes to breaking the silence and establishing openly gay Gaelic identities.[3] The Gaelic poet holds respected status in oral and written Gaelic culture and plays an important role as a spokesperson for society.

nì iomradh air ùr-bhàrr eucoir-gràine chinnidhich is aona-ghnèithich, ga dhèanamh air a' bhàrd fhèin, is 'Speactram' a tha na ath-bhualadh air splaoid-urchaireachd ann an club-oidhche gèidh an Orlando, Florida, na bliadhna 2016.

B' iad Cathal Ó Searcaigh is Crìsdean MacIlleBhàin na ciad bhàird, is na bàird a-mhàin, ann an Èirinn is Alba, air leth, a dh'ainmich iad fhèin mar dhaoine gèidh nan cuid obrach fhoillsichte, mus deach ciad bhàrdachd Mhic an Tuairneir ann an 2006. Ann an rannsachadh acadamaigeach, na bu thràithe, mhìnich Mac an Tuairneir an dòigh a thèid an cuid obrach a chleach-dadh gus tost a bhriseadh is dearbhan-aithne gèidh a stèidheachadh.[3] Tha àrd-inbhe shònraichte aig a' bhàrd; rud a thèid a chleachdadh na dhreuchd mar neach-labhairt na coimhearsnachd. Dh'fhaodadh am bàrd gèidh an dearbh inbhe is dreuchd seo a chleach-dadh, mar Ghàidheal, gus co-fhilleadh a rèiteachadh, a dh'aindeoin seachran àbhaisteachaidh iol-ghnèithich, aig a bheil freumhan domhainn ann an eachdraidh is creideamh. Nì a' bhàrdachd fhèin soillearachadh air leasachadh cultarail a bhios ga thòiseachadh aig an aon àm.[4]

Air a' Ghàidhealtachd is ann an Eileanan na h-Alba, tha Fòram LGDT na Gàidhealtachd air ràdh roimhe 'gun dèan iad fiughair ris an là a thig coileanadh air co-fhilleadh na coimhearsnachd LGDT anns a' chomann-shòisealta anns a bheil sinn beò.'[5] A thaobh seo, tha *Lus na Tùise* cudromach is làn cothrom cruth-atharrachaidh do shaoghal na Gàidhlig. Saoghal aig a bheil iomadach crìoch spàsail is aimsireil: Gàidhealach, dùthchail no bailteil, tàr-nàiseanta no didseatach; mar a bha, mar a tha, mar a bhios.

Emily McEwan-Fujita, Ph.D.
Halafacs, Alba Nuadh, Canada
An t-Iuchar, 2016

The gay Gaelic poet can use the bardic status and role to negotiate acceptance as a Gael despite having transgressed historically- and religiously-rooted heteronormativity. The poetry itself points to and simultaneously instantiates cultural change.[4]

In the Highlands and islands of Scotland, the Highland LGBT Forum has said 'We look to the day when our LGBT community is fully integrated within our society'.[5] An important step in this integration, Lus na Tùise *carries a transformative potential for the Gaelic community in its multiple spatial and temporal dimensions: Highland, urban, transnational, and virtual; past, present, and future.*

Emily McEwan-Fujita, Ph.D.
Halifax, Nova Scotia, Canada
July 2016

Nòtaichean

1. Cutherbertson, Scott. "Scotland rated best country in Europe for LGBTI legal equality," Equality Network, 10 May, 2015, www.equality-network.org/scotland-rated-best-country-in-europe-for-lgbti-legal-equality/. Cothrom faighte air 8 dhen Fhaoilleach 2016.

2. French, Tom, et al., *The Scottish LGBT Equality Report: Lesbian, Gay, Bisexual and Transgender People's Experiences of Inequality in Scotland.* Equality Network, 2015, Edinburgh, www.equality-network.org/wp-content/uploads/2015/07/The-Scottish-LGBT-Equality-Report.pdf. Cothrom faighte air 10 dhen Fhaoilleach 2016.

3. Mac an Tuairneir, Marcas, "*Gèidh/Gàidhealach: Am Fear Aona-Ghnèithach air Iomall na Dearbh-Aithne Gàidhealaiche agus Dàintean Roghnaichte le Crisdean MacIlle-Bhàin/* The Homosexual Man on the Periphery of Gaelic Identity and Selected Poems by Christopher Whyte," trachdas MLitt, Oilthigh Obar Dheathain, 2010, tdd. 43-47.

4. Tha luchd-labhairt LGDE+ air cur gu mòr ri saoghal na Gàidhlig, sna meadhanan, coimpiutaireachd, foghlam is litreachas sna deicheadan a dh'fhalbh. Ged a tha rannsachadh a dhìth air seo, tha 'Eaconomaidh na Gàidhlig', ann an co-theags Albannach nas fharsainge, air a bhith cudromach don iomairt gus cothrom a thoirt do dhaoine gèidh fhèin-aithneachadh gu fosgailte.

5. "Welcome to the Highland LGBT Forum," Highland LGBT Forum, n.d., www.highlandlgbtforum.scot. Cothrom faighte air 8 dhen Fhaoilleach 2016.

Notes

1.   Cutherbertson, Scott. *"Scotland rated best country in Europe for LGBTI legal equality,"* Equality Network, 10 May, 2015, www.equality-network.org/scotland-rated-best-country-in-europe-for-lgbti-legal-equality/. Accessed on 8 January 2016.

2.   French, Tom, et al., The Scottish LGBT Equality Report: Lesbian, Gay, Bisexual and Transgender People's Experiences of Inequality in Scotland. *Equality Network, 2015, Edinburgh, www.equality-network.org/wp-content/uploads/2015/07/The-Scottish-LGBT-Equality-Report.pdf. Accessed on 10 January 2016.*

3.   Mac an Tuairneir, Marcas, "Gèidh/Gàidhealach: Am Fear Aona-Ghnèithach air Iomall na Dearbh-Aithne Gàidhealaiche agus Dàintean Roghnaichte le Crìsdean MacIlleBhàin/The Homosexual Man on the Periphery of Gaelic Identity and Selected Poems by Christopher Whyte," M.A. thesis, University of Aberdeen, 2010, pp. 43-47.

4.   *LGBT+ Gaelic speakers have also made significant contributions to Gaelic media, computing, education, and literature in recent decades. Although research remains to be done in this area, the 'Gaelic economy' in the wider Scottish context has probably also played a key role in facilitating the increasing potential for openly gay Gaelic identities.*

5.   *"Welcome to the Highland LGBT Forum,"* Highland LGBT Forum, n.d., www.highlandlgbtforum.scot. Accessed on 8 January 2016.

Dàin

poems

Triantan

Dh'innsinn sgeulachd dhut.
Tha beàrn anns na chaidh seachad
nach tàinig gu ìre;
ginean nach fhaca an là.
Chan innsinn breug ga thionndadh gu eachdraidh.
Tarraing loidhne,
tro mo chasan bho mo chorrag gu mo gliùin.
Nì mo nùidheadh mo shiubhal
eadar gaorr is eanchainn romhainn.
Èist ris a' bhuille tighinn ùr-bheò,
oir dh'innsinn sgeulachd dhut.

Dh'innsinn dìomhaireachd dhut.
Tha beàrn san traidisean
nach gabh mi lìonadh
ann am priobadh na sùla.
Chan innsinn eachdraidh buille mo chridhe.
Tarraing loidhne
tro mo cholann bho mo chridhe gu mo bheul.
Can am freagair triantan
an t-àite aig ceàrnag sam bith.
Èist ris an fhreagairt seach a' cheist,
oir dh'innsinn dìomhaireachd dhut.

Dh'innsinn bruadaran dhut.
Tha beàrn anns na tha ri teachd
nach gabh mi fighe;
dlùth gu leòr is fuigheal innich.
Chan innsinn an sgeul gun a thoirt gu crìoch.
Tarraing loidhne
tro mo cheann bho mo shùil gu mo shròin.
Feuch am faighear freagairt
eadar sgòthan ann an tuaineal glòmainn.
Èist ris an fhuaim seach am facal,
oir dh'innsinn bruadaran dhut.

Triangle

I would tell you a story.
There's a void in the past
uncome to maturity;
a pregnancy that never saw day.
I wouldn't spin lies into history.
Draw a line
through my legs, from toe to knee.
My impetus, my journey
through gore and grey matter before us.
Listen for the beating back to life,
because I'd tell you a story.

I would tell you a secret.
There's a break in tradition
I can't mend
in the blink of an eye.
I would tell the history of a heartbeat.
Draw a line
through my body, from heart to mouth.
Tell if a triangle can fit
in any square-shaped vacancy.
Listen for the answer, not the question,
because I'd tell you a secret.

I would tell you my dreams.
There's space in the future
still unsewn;
plenty warp but little woof.
I wouldn't tell a tale without an end.
Draw a line
through my mind, from eye to nose.
Try to answer the unknown
between clouds of twilight stupors.
Listen for the sound, not the word,
because I'd tell you my dreams.

Ainneamhag

Rugadh mi leis a' chìrean thogta;
sradag dhubh
thar chuach mo chinn.

Thogadh mi leis an eòlas;
sradag buaidh
thar ùine a leiginn.

Cha do dh'aithnich mi
riombaill mum làitheachd;
fàinne-solais, a' dèarrsadh
air m' itean òir is corcair.

Nam bhroinn, bha mi nam theine,
le lasair, sìor-luaisgeach.
Air iteal anns a' choille dhuirch'.
Cha robh mi riamh an dùil,
m' Ifrinn fhìn a thoirt gu buil, ach
sìor-atharrachadh nan darach àrsaidh
a shoilleireachadh leis an deò.

Ribeadh mi ann an cliabh reachd;
samhla smachd
a chuingich m' itealachd.

Mhùchadh mi le làmh an ùghdarrais;
samhla tost
a chuingich m' fhilidheachd.

Nam bhroinn, bha mi nam theine,
le lasair, sìor-luaisgeach.
M' iteagan gan leigeil bhuam,

Phoenix

I was born with a cockscomb;
a flash of black
across the dome of my head.

I was raised with knowledge;
a flash of faculty
I would emit over time.

I never perceived
a nimbus around my presence;
a halo, glowing
on my golden, crimson wings.

Inside I was afire,
with a turbulent flame.
flying through the darkened forest,
I never planned to bring forth
the Inferno, but
the complexity of ancient oaks,
to illuminate with the rays.

I was ensnared in a cage of dogma;
symbol of power
that yoked my flight.

I was strangled by autocratic hand;
symbol of silence
that yoked my verse.

Inside I was afire,
with a turbulent flame.
My feathers falling from me,

ron fheadhainn a ghabh suim air
soillse is a bhòidhchead gus
sìor-atharrachadh nan dòchas lag
a shoilleireachadh leis an deò.

Is bho neoni mo luaithrich,
dh'èirich mi dhan iarmailt.
Bu mhi an ainneamhag a-rithist,
air iomain osag saorsa.

Nam bhroinn bha mi nam theine,
le lasair, sìor-luaisgeach.
M' usgaran tilgte bho mo ghob,
mar riadhan a' stiùireadh gu
sìorraidheachd is a dualachd;
sìor-atharrachadh mo cheud-dhàin
a shoilleireachadh leis an deò.

to those who knew
Heaven and its beauty and
the complexity of faint hopes
illuminated with the rays.

And from the chaos of my ashes,
I rose into the firmament.
I was the phoenix again,
billowed by freedom's fair wind.

Inside I was afire,
with a turbulent flame.
Pearls cast out of my beak,
like a trace, trailing to
eternity and its potential; the
complexity of my hundred-song,
illuminated by the rays.

Dachaigh

’S ann san dachaigh
far a bheil crois Bhrìde,
taicideach ri balla na trannsa.

Far an do sheas ìomhaighean na Moire,
an cois ite coilich-peucaig,
air sgeilp nan gòlaid.

Far an d’ rinneadh tomhas air fàs
an cois bòrd a’ chidsin;
far a bheil dà dhealbh ceumnachaidh
air an crochadh.

Home

Home is where
a Saint Brigid cross
is nailed to the landing wall.

Where Marian statues
stand, by a peacock feather,
on the trinket-box shelf.

Where growth was measured
by the dining table;
where now hang the pictures
of two graduations.

Cagar-adhair

Madainn.
M' athair,
le ràsair,
anns an t-seòmar-amair
agus smùid bhon fhrasair
a' bàthadh mànran
a' chagair-adhair.

Air an oidhche,
crom, aig bòrd
an t-seòmair-bìdh,
le bruis mheirbh
eadar meuran.

Ag èisteachd
ris na h-Archers,
a' cur datha is staise
air saighdearan staoime.

Ceòl na fìdhle;
'Barwick Green'
is fàileadh iasgail
an lampa aosmhoir.

Feasgar Shathairne,
a' faighinn air falbh
bho chlasaichean dràma;
a' beachdachadh
air Desert Island Discs.
Da-da-dà
    da-da-dà
        da-da-da-da-di-dà.

Wireless

Morning.
My father,
with razor,
in the bathroom
and steam from the shower
stifles the murmur
of the wireless.

At night,
bent over a board
in the dining room,
fine brush
between fingers.

Listening
to the Archers,
adding tint and moustache
to tin soldiers.

Fiddle music;
'Barwick Green'
and the fishy whiff
of the rickety lamp

Saturday afternoon,
on the way back
from drama class;
deciding
Desert Island Discs.
Da-da-dah
da-da-dah
da-da-da-da-di-dah.

Crann

Tha cuimhne leam,
mar a shuidh e rim thaobh,
a' dealbhadh craoibh,
thar dhuilleag pàipeir mhòir.

Bhòrc romham
dìomhaireachd.
Crann cian nan cànan,
le gach teanga Eòrasia,
a' tighinn bhon aon fhreumh.

Tree

I remember how
he sat beside me,
drawing a great tree
across a sheet of paper.

It bloomed before me,
that mystery.
The vast branches of linguistics,
with all of Eurasia's tongues,
ascendant from the same root.

Gun Ainm
An Gearran, 1917

A Shaighdeir, mo ghràidh,

Tha mi nam laighe fo chabair na h-àirigh,
leis na mìrean-sàibh a' snàmh
tro thaisead an t-samhraidh.

Far a laigheamaid, blàth, bog le chèile,
bho chiaradh gu càinealachadh an là.

Ar leam, an laigh thu nad bhuncair,
fhad 's a thilgear sligean, aig astar,
is do chridhe, mar stob reòite,
a' bualadh le gach blosg is brag.

Ach san t-solas-brèige, is mi
dùnadh mo shùilean, saoil,
am mothaich thu cuimhne
criomadh mo chorragan;
an sin, air do chluasan.

Mar a mhothaicheas mi
mìr-sàimh air mo ghruaidhean
is fàileadh co-thràth an fheòir.

Is mise, le foighdinn,
Le gràdhadh is gaol,

A' feitheamh riut
san àirigh,

Do bhràmair, gun ainm.

Unnamed
February, 1917

Soldier, my love,

I lie beneath the beams of the shieling,
with the specks of sawdust
floating through the summer's humidity.

Where we would lie, warm, moist together,
from sunset to sunrise.

I wonder, do you lie in your bunker,
as they cast shells, far off,
and your heart, like an icicle,
beating with every boom and bang.

But in the half-light, as
I close my eyes, I surmise,
if the memory moves you;
the tickle of my fingers,
there on your ears.

As it moves me;
the sawdust on my cheeks
and the smell of hay at dawn.

Yours, patiently,
With affection and love,

Waiting
in the shieling,

Your lover, unnamed.

Am Foghar

Gabhaidh fraoch liath-dhearg
grèim air na creagan
a shiùbhlas mi seachad,
eadar Inbhir Nis agus An Aghaidh Mhòr.

Thèid seantans an rathaid
fhaide a phuingeachadh
le cromagan iseanan
is cinn-sgur nam bodhaig marbh.

Is tuigidh mi nach fhaod mi
do chumail, peacach,
nam inntinn
is am foghar a' fàs oirnn uile.

Lùbaidh an rathad a-rithist
a dh'ionnsaigh Shiorrachd Pheairt
is gheibh mi a-mach às a' bhus
gus seasamh aig crois meadhan na h-Alba.

A' togail rathaid eile,
chì mi achadh faisg air Dubhailigh;
garbh mar achlais Lochlannaich,
ruadh-bhàn is fallain.

Cearcall a bhuannachd
a' tighinn gu crìoch.
Mar mhathanas dom anam.

The Autumn

Ruddy heather clings
to the precipice
that I steam past
between Inverness and Aviemore

The road's sentence,
strung out and punctuated
with the commas of birds
and full stop roadkill.

And now I understand
I can't keep you penitent
in my mind
when the autumn creeps over us all.

The highway swings again
towards Perthshire
and I disembark the bus
to stand at the cross-road of Scotland.

Taking another track,
I see a field by Dowally;
coarse like Viking armpit,
auburn and hearty.

The cycle of its profit
coming to conclusion.
like forgiveness to my soul.

Mac-talla

Saoil an gabh gaol còmhnaidh,
fo stuaidhean goireil;
a phuingicheas an fhàire,
le gach uinneag fhalamh.

Lìonaidh mi gach ùrnaigh,
le mìlse is dòchas;
a' feuchainn gun sgrìobh mi
mo chridhe nam bhriathrachas.

Caithidh mi mo bhruadaran,
gu eu-crìonachd nan speuran;
mar shoillsean meirgeach,
a' gabhail gaoith is talamhainn.

Mise mac-talla dìomain,
a' lughdachadh gu neoni;
air sràidean cranndaidh,
's mi faoin nam neònachas.

Echo

I wonder if love abides
under gables of granite;
that punctuate the skyline,
with each empty window.

I fortify each oration,
with sweetness and optimism;
in a bid to notate
my heart in my rhetoric.

I cast up my dreams,
to the infinity of the skies;
like fluttering glitz, they
rust on the sod.

I, echo, fleeting,
retreating to nothing;
on these streets, cold and withering,
I am queer and groundless.

Bioran

A' chiad bhior;
    Bu sin a' ghoimh
        A chàirich am beàrn
           An cnàimh mo ghruaidh.

An dàrna bior;
    Bu sin an nàir'
        A thàirng an t-eagal
           Ri chnàmh mo ghèill.

An treas bior;
    Bu sin an t-olc
        Fo chuing na gràin
           An cnàimh mo ghluic.

Pins

The first pin;
    It was the agony,
        That fixed the void
            Inside my cheekbone.

The second pin;
    It was the shame,
        That nailed the fear
            Inside my jawbone.

The third pin;
    It was the wickedness,
        That yoked the hatred
            Inside my eyesocket.

Gun Ainm II
An Giblean, 1917

A Shaighdeir, mo ghràidh,

An gabh thu eagal ron an leadraigeadh?
Is do bhodhaig air a stialladh,
le gach sràc na cuip.

Mar sin, an e do chridhe
a gheibh an grèidheadh
is tu ga fhàgail
brùite bhon bhigearachd
eadar bràithrean a' bhlàir?

Le gach buille bhrosnachail,
air do dhruim no do ghuaillean,
bho làmh thapaidh do ghualleir,
do shàirdseint, no do chòirneil;

An laigh an làmh sin trom
mar chrann Ìosa ar Tighearna?
A ghiùlain e tron phàis,
gu sgurr lom Chalbharaigh.

No a bheil e fìor,
gu bheil a' chamaraderie,
cho fialaidh
is an cogadh na chothromaiche?

Is mise, le foighdinn,
Le gràdhadh is gaol,

A' feitheamh riut
san àirigh,

Do bhràmair, gun ainm.

Unnamed II
April, 1917

Soldier, my love,

Do you fear a leathering?
And your body streaked,
with each strike of the whip.

Or is it your heart
that gets the beating,
as you leave it
bruised from the bickering
between brothers in arms?

With every fraternal slap,
on the back or the shoulder,
from the hearty hand of your comrade,
your sergeant, or your colonel;

Does that hand lie heavy
like the cross of Jesus our Lord?
That he carried through the passion,
to the naked peak of Calvary.

Or is it true,
that camaraderie
is so bountiful
and the war an equaliser?

Yours, patiently,
With affection and love,

Waiting
in the shieling,

Your lover, unnamed.

Saighdear na Nèimhe

Cha chluinn thu mo theachd,
ach aig leth-uair an dèidh seachd
's ort sgìths na maidne.

Fuaim ràcain ghleadhraich,
is sturaraich-stararaich,
sròineis, sitire.

Mise sraoilleag a-nochd,
a' siubhail tron neo-chrìochnachd,
's mòr-mheud sna speuran.

'S mi rùn-atharraich,
caochlaideach, geug chraobh-sheilich,
a rèir do thruime.

Ana-chrìosdaidheachd,
draoidheachd a bhuineas do reachd,
leisean bog, taise.

Sagittarius

You won't hear me come,
but at half-hour past seven,
when you're morning-tired.

Crash bang and bluster,
the cloven hoof thundering,
neighing and panting.

Rapscallion tonight,
travelling through endlessness
of firmament, vast.

Inclination swings,
fickle as the lithe willow,
bending to your weight.

All remains pagan,
zenith of enchantment on
mellow, moist loins.

An-diugh

Air do sgàth-sa,
sgrìobh mi òran àlainn
an-diugh,

An àite
òraid de
dh'olc is aithreachas.

Today

Because of you,
I wrote a lovely ode
today,

Instead of a
rant of
hate or regret.

Lus na Tùise

Bha lus na tùise a' fàs
nam sheòmair-shuidhe.

Feasgar.
Ciaradh iarmailt
corcair,
mar bhoinneag silidh smeura,
ri tuaineil ann am
pana bainne air goil.

Leis an teas mhilis sin,
ga fhroiseadh air feadh an taighe

Is am fàileadh dhìot;
daorachail,
mar shearbh-luibhean,

Bruthainneach,
bhon t-sòfa,
gun chidsin,
gun leabaidh.

Uile-sgaoilte,
mar thùis coisrigidh.

—

A-nis, tha e fann
is an lus liath
cruaidh,
le duilleagan mar luaithre.

Lavender

Lavender was growing
in the front room.

Evening.
The sky's gloaming,
purple,
like a drop of bramble jam,
swirling
in a pan of boiling milk.

With that sweet humidity,
spreading through the house

And the smell of you;
intoxicating,
like wormwood,

Sultry,
from the sofa,
to the kitchen,
to the bedroom.

All-pervading,
like consecration incense.

—

Now it's weak,
like the faded flower;
hard
with its ashen petals.

A' Ghàidhlig Dhuitseach

Chan eil an dànachd agam
cus loidhnichean a sgrìobhadh.

Tha gach fear na chùmhnant,
no ceum nas fhaide gu seach-mhallachd.

Tha m' anam fo eagal gun teir mi an rud ceàrr;
gum fairich mi an aon ìsleantachd is tu teicheadh bhuam.

Ach tha na faclan ann an clò. Cheana air do fòn.
Do-sgrìoste is loisgte air do chùimhne.

Taing do Dhia,
nach eil agad ach
a' Ghàidhlig
Dhuitseach.

The Other Gaelic

I hardly dare
to write so many lines.

Each one marks a covenant,
or a step towards oblivion.

My mind fears saying the wrong thing,
fears feeling that humiliation, again, as you flee me.

But the words are in print. Already on your phone.
Indelible and branded on your memory.

> *Thank Christ*
> *you've got*
> *some other*
> *Gaelic.*

Gun Ainm III
An Cèitean, 1917

A Shaighdeir, mo ghràidh,

An gabh thu ris a' Ghearmailtis?

A bheil do chainnt na chòd,
cruinnichte eadar osna is caog?

Rùnach riaghlaichte;
na teachdaireachdan dìomhair,
a' sgiathadh eadar pheilearan,
sa cheò.

Ochòin.

'S e cànan nach gabh ris
an tìr-ghràdhadh, sin.

Ars Belling, gur thusa
ceap coireachaidh.

Chan eil ann ach
a' chaoile ghorm.

Bellum.	Belli.
Bellum.	Bello.
Bellum.	Bella.

Is mise, le foighdinn,
Le gràdhadh is gaol,

A' feitheamh riut
san àirigh,

Do bhràmair, gun ainm.

Unnamed III
May, 1917

Soldier, my love,

Can you speak German?

Is your cant a code,
accumulated between winks and whispers?

Regimented cipher;
the secret missives,
flying through the bullets,
in the mist.

Alas.

It's a language incompatible
with the patriot, that.

Said Belling, that
you're the scapegoat.

Nought to see
but failure.

Bellum.   Belli.
Bellum.   Bello.
Bellum.   Bella.

Yours, patiently,
With affection and love,

Waiting
in the shieling,

Your lover, unnamed.

Sgiath

Chaidh mo chrochadh eadar aimsir is soillse,
os cionn bràighean bàna Tìr nan Òg
is dùintean-sìth, snaidhte bho sgòthan.

Shiubhail mi tro shìth shlàn
is tron na beàrnan beaga san smùid,
chunnaic mi an fhairge na laighe fodham;

Cal-Mac mòr is bàt' an iasgaire,
na solasan-biorach 's an teine-sionnachain
is drochaid a cheangail eilean gu tìr,
mar iarna shìoda bhrisg a' bhrandubhain.

Chunnaic mi bogha-fhrois cuarsgach
is, tro phrism na treas sùla,
faileas ghobhlan-gaoithe sa meadhan.

Ghabh mi sin mar aisling mo mhiann;
dualachd chothruim ùir, dèanta fìor.
Crìoch don obair, don ailbhe, don iasadachd.
Beatha; sgiath mar iomall na fighe.

Chaidh mo chur mun cuairt, le lùb;
Caisteal Leòdhais romham mar chlach
Lego gleansach, a' piorradh na faire.

Sràid Chrombail cùrsach is lannrach,
mar earball radain, no riadhain bìthe
peantaichte ri taobh a' chladaich.

Wing

I was suspended between time and sunlight,
above the fair braes of Tìr nan Òg
and fairy mounds, carved in clouds.

I travelled through perfect peace
and through the fissures in the haze,
I saw the ocean lie beneath me.

Big Cal-Mac and fishing boat,
the light-pricks of the will o' the wisp
and a bridge that linked an isle to land,
like the brittle skein of spider's silken web.

I saw a circular rainbow
and, through the prism of the third eye,
the shadow of a swallow in the middle.

I took that as a vision of my desire;
the possibility of a dream made real.
An end to work, to poverty, to debt.
Life; a wing-like raiment.

I was spun round, with a jolt;
Lews Castle before me like a
Lego brick, shining, shattering the horizon.

Cromwell Street, curving and gleaming,
like a rat's rail, or streak of tar
painted beside the shingle.

Ràithean na Bliadhna
Do na còisirean Gàidhlig

I
Fad' foghar fionnar mo dhòchais,
nam leabaidh chruaidh, cha d' rinn mi suain.
Is an iùnnrais a bh' os mo chionn-sa;
b' e samhladh caochladh bha sin d' ar cainnt.

Ann an duilleagan sileadh mar dheòirean,
ann an sràidean na cloich 's a' cheò,
's an solas an duibhre bhraonaich;
bu bheag an luach, dh'aindeoin dath an òir.

II
Thàinig gèile gheàrr fhuar a' gheamhraidh,
sa bhaile ghruamach, cha togadh mo chridh';
gun ach thusa, a rionnag na h-oidhche,
dheàrrs thu gu soilleir, is spreag thu mo chuimhn'

Air bàrdachd nam beanntanan àrda,
's ùrnaigh shocair nan gleanntan sìth'
nis fo mhùchadh an t-sneachda aotruim;
deòirean reòthte cainnt mo bhrìgh'.

III
Cha mhair e 'n sin; smachd a' gheamhraidh.
Dh'fhannaich a grèim le fras on speur.
Dh'fhuasgladh gucanan ghealagan-làir ann
is mo bhilean le mànran ghràidh.

Anns gach dìthean a bhòrc nan liosan,
bha mo dhòchas na bhlàth cho brèagha;
toradh dìcheil, bha nis gam lìonadh.
Dh'fhàs mi treun le gach buille-chridhe.

The Four Seasons
For the Gaelic choirs

I
In the cool autumn of my hope,
in my cold bed, I got no sleep
and the tempest that raged above me
foresaw a language lost.

It was in the leaves falling, like tears,
in the streets of stone and mist.
The half-light of the dying sun, there;
I saw no worth in it despite its golden hue.

II
Then came the sharp cold gale of winter,
in the dreary city, my heart never cheered;
only you, star of night,
who shone so bright and took my memory back

To the poetry of the lofty mountains,
The tranquil prayer of the peaceful glen
now silenced by gentle snowfall;
the frozen tears of my words and being.

III
It could not last, the reign of winter.
Its grip grew weak with a showering sky.
The buds of snowdrops were loosened,
like my lips, to speak my love's language.

In every flower sprouting in the gardens
was my hope, like a lovely blossom;
the harvest of diligence that now filled me.
I grew strong with every heartbeat.

IV

Feasgar samhraidh, an teis meadhan Chèitein,
thionndaidh aodann an neòinein bhàin
chun t-solais a shorchaich an saoghal;
's beannachd beatha bha nis mu sgaoil.

Fo stiùireadh deò deàrrsadh na grèine,
thog mi orm gun àirde an iar.
Do ghealladh ghlan dòchais nan reultan,
chuir mi romham bhith tairiseach fial.

IV
One summer evening, in the middle of May,
the head of a daisy turned
towards the sun that lit up the world,
and the blessing of life was all around.

Guided by the rays of sunlight,
I set off back to the west.
I decided to remain true,
to hope's promise, in the stars.

Glèidhteach Caomhantach

Mise is m' athair a' coiseachd a-steach
don taigh aost',
aig mullach a cnuic.
Taistealachd a b' àbhaist dhuinn,
fad' bliadhnaichean m' àraich
's àraich-san.

Don taigh far an d' fhuair e a thogail,
don ghàrradh far an robh e
ri chleasachd,
le saighdearan staoime.
Ri còmhrag
a' chogaidh na eanchainn.

Tron trannsa dhuirch,
chunnaic mi na dealbhan;
càirdean mo sheanmhar,
rianaichte ann an sreath.
Puist-seòlaidh ar sreap suas
don inbheachd.

Mi fhìn is mo cho-oghaichean,
banais mo phàrantan,
a màthair fhèin na seasamh,
ann an lios a bothain.

Tha againne ri rianachadh
cuid a beatha,
a chruinnich i ri chèile,
ceum air cheum,
fad' làithean beartais is
làithean eile de dh'ainnis.
Fad cogadh na fhìorachas
is eu-chinntealas a' tuiteam leis na sligean.

Make Do and Mend

My father and I walk inside
the old house
atop her hill.
Our usual pilgrimage,
through my young years
and his.

To the house of his upbringing
in the garden,
where he played
with tin soldiers.
In the stramash
of the battles of his mind.

Through the blacked-out hall,
I see the pictures;
my grandma's relations,
arranged in a sequence.
Signposts of our growth
into adulthood.

Myself and my cousins,
the nuptials of my parents,
her mother, there, standing
in the garden of her cottage.

Our task, to pack away
the chattels of her life,
to gather together,
piece by piece,
each day of affluence
and others of austerity.
When war was reality
and uncertainty fell with the shells.

Sna làithean sin, b' e
'glèidhteach caomhantach'
an suachainteas air gach
broilleach nam boireanach.
Sna làithean seo, 's e
an dreuchd againn,
na bogsaichean a rannsachadh,
rudan a mheudachadh a rèir luaich.

Dè fios a bh' againn air
aodach sgeithte,
innealan teannta le sreang,
poitean craicte, stuchte
le glaodh is a tùs-litir
geàrraichte aig a' bhonn?

San là an-diugh, tuigidh mi
a h-ealantas 's a h-innealachd,
a chealaich i, uaireanan,
le coltas an spìocaire.

Na tìodhlacan briste,
brocte, a thug i seachad,
le suairceas rocte
is mo mhàthair fo thàmailt a-rithist.

Dh'fhaodte nach faic sinn
an luach na h-ìobairt
is na rudan sin a tha, dhuinne,
gun fheum, gun fhiughantas;
nach gabh sinn a chleachdadh
nar taigh ùr làn goireasan.
An tràth ùr-nodha;
a tha, 's dòcha, gun nòs,
gun bhlas,
gun anam.

In those days, it was
'make do and mend,'
the crest on the chest
of each woman.
In our day, it is
our test
to rummage the boxes,
to put a price on her things.

What do we know of
fraying garments
and gadgets tied up with string,
cracked pots, stuck
with glue and initials
carved on the base?

Nowadays, I know
the artistry in innovation,
that she buried, at times,
behind skinflint eyes.

The hand-me-down presents
she gave us,
with wrinkled benevolence
and my mother affronted again.

Maybe we don't see the
wealth in the sacrifice
and things that, to us,
are without worth or virtue;
that we can't use
in our house of new things.
The modern age;
perhaps less authentic,
without gusto,
or soul.

A-nis, 's a h-anam tha briste,
glaiste às dèidh doras
an taigh-altraim
is faclan a sgeulachdan,
nan neo-chomas dha teanga.

Air an là tha seo, bu mhiann leam
briathran nan sgeulachdan sin
a chluintinn;
clambraid nam pàistean
a bh' annainn is gliong
shoithichean dìnnear na
Nollaig san t-sinc.

Ach cha cluinn mi ach
mac-talla a h-eu-dòchais,
cothroman
nach do chaith mi,
càirdeas
nach do chàirich mi gu ceart.

Now her soul is broken,
enshrined behind the
nursing-home door
and the words of her stories
don't roll off the tongue.

On this day, I want
to hear the words of
those stories;
the chatter of the children
we were and the tinkle
of Christmas dinner plates
in the sink.

All I hear is the echo
of hopelessness,
opportunities
I did not use,
relationships
I did not ultimately mend.

Gun Ainm IV

An t-Iuchar, 1917

A Shaighdeir, mo ghràidh,

Chunna mi an-diugh iad,
an fheadhainn, sa chiudha.

An fheadhainn le
car nan glùinean,
na lùgairean,
na h-òthaisgean.

Is mi fhìn aig a' chùl,
a' creicealaich 's a' crìth,
mar choirce-circe.

Le mo shìol claon,
nach gin a' chlann;
eu-comasach
air còmhrag is combaid.

Is mise, le foighdinn,
Le gràdhadh is gaol,

A' feitheamh riut
san àirigh,

Do bhràmair, gun ainm.

Unnamed IV
July, 1917

Soldier, my love,

I saw them today,
the few in the queue.

The few with
bandy legs,
the knock-kneed,
the simpletons.

And myself at the end,
wheezing and jittering,
like quaking-grass.

With my deformed seed
that won't beget;
incapable
of combat and conflict.

Yours, patiently,
With affection and love,

Waiting
in the shieling,

Your lover, unnamed.

Long-briste

'S mi long-briste air cladach Gall.
Bàgh crom ann an leth-chearcall.
Do bhodhaig mar bhràigh,
a' slìobadh a-steach don Chuan Sgìth.

Dh'fhàg e luasganan air bàrr do bhathais
gile, solasta mar ghainmheach Eoropaidh.
Togaidh muran fioghain aig bonn a' chinn
is m' anail ga bhuaireadh mar oiteig.

Is nas fhaide air adhart, na frasganan fada,
a' priobadh mar sgiathan an dealain-dè.

Sa bhad,
tha iad air falbh,
is dà chruinne saifeir
gam sgrùdadh.

Bu shèimh do shuain,
ach nise tha mo shaoghal làn fhaireachadh.

Shipwreck

I am a shipwreck on a Hebridean shore.
An inlet, curved into a semi-circle.
Your body like a brae,
that slopes into the Minch.

It left ripples on the ridge of your forehead;
white, glistening like the sands of Eoropie.
Marram bristles at the base of the headland
and my breath disturbs them like the breeze.

And further along, your lush eyelashes,
flickering like butterfly wings.

At once,
they are away,
and two globes of sapphire
scrutinise.

You were asleep,
but now my whole world is wide-awake.

.

Cuibhrig

Nuair a dhùisgeas mi, bidh mi brònach
nach fhaic mi do shròn bheag
air taobh eile na cluasaig.

Gach madainn, dùinidh mi mo shùilean,
gabhaidh mi grèim air a' chuibhrig
is togaidh mi tuairmse do bhodhaig.

Ach chan eil sìon cho seasmhach
ri farsaingeachd do dhroma.

Crannag
teas mheadhan
a' Chuain Shiair fhuair.

Quilt

When I wake, I am disappointed
not to see your little nose
on the other side of the pillow.

Every morning, I close my eyes,
I grip the quilt
and make an approximation of your body.

But nothing is as sturdy
as the breadth of your back.

Islet
amid the
cold Atlantic.

Mòd

Sheas i leath' fhèin,
fon t-solas liath
is gach aodann air a beulaibh.
Rinn i ùrnaigh dhìomhair
nach fhuaimnicheadh bilean a beòil.

Phàirtich iad, le a sùilean don nèamh,
a' leigeil ciad rannan a h-òrain
is an deur fionnair
a thuit sìos a gruaidh.

Sa bhad, bha e seachad;
taisbeanadh a dìchill
is bu dhiùid an luchd-amhairc
am bois a bhualadh,
ro chlamraid ghlòrmhor
nas prìseil na bonn òir
is i a' tuigsinn gun do ghabh iad
ri a fadachd.

Aig bonn na staidhre,
cha chuala i ach fàilteachd
na cuideachd, ach chuir i
gu taobh sin le
suabag a beusachd.

Leughadh na toraidhean;
ghabh a màthair sgrìob
gus an cluinntinn
tron chrònan.

Chunnaic an nighean
gnùis bhàn a h-oillteachaidh,
fhad 's a thàinig a h-ainm-se mu dheireadh.

Mòd

She stood alone
under the pale light
and every face before her.
She made a silent prayer
that her lips would not pronounce.

They parted, with eyes to the sky
and let out the first lines of her song
with a cool tear
that slid down her cheek.

At once, it was over;
the exhibition of her efforts
and the audience were shy
with their applause,
before the glorious uproar,
more priceless than the Gold,
and she knew that they
understood her yearning.

At the foot of the stair,
she heard nothing but the rapture
of the building, but
swept that sideways
with a swoop of modesty.

The results were read;
her mother strained
to hear them
through the hubbub.

The girl read
the pale face of her dread,
as her name was listed last.

Gun Ainm V
An t-Sultain, 1917

A Shaighdeir, mo ghràidh,

Saoil, an seachain thu,
mar a sheachnas mise,
a' bhrìgh na fighe trom fhaclan.

Tha an àirigh mar chlais
an achaidh treabhte
is am prìomh-bhàrr air
a bhearradh is a bhuain.

Saoil, am feith thu,
mar a dh'fheitheas mise,
ri do thilleadh am-bliadhna,
no an ath-bhliadhna,

Bho bhlàr a' bhuachair,
na fala, nan sloc.
Far nach blàth dìtheanan ar dìomhaireachd,
ann an uaigh nam bodhaig
is nach fhaicear ach blàth-nam-bodach.

Is mise, le foighdinn,
Le gràdhadh is gaol,

A' feitheamh riut
san àirigh,

Do bhràmair, gun ainm.

Unnamed V
September, 1917

Soldier, my love,

I wonder, do you hide,
as I do,
the meaning knit between my words.

The shieling is like a furrow,
of a ploughed field
and the crop
is shorn and gathered.

I wonder, do you wait,
as I do,
for your return, next year,
or the next,

From the war's ordure,
the blood, the pits.
Where our secret never blooms
in the sepulchre of corpses
and only the poppy grows.

Yours, patiently,
With affection and love,

Waiting
in the shieling,

Your lover, unnamed.

An Leabhar

Thog e slighe don t-saoghal;
a-mach,
an uchd a mhuime.

Thairis air làr a' bhàir,
far an do sheas thu,
mar Shimeon,
aig geataichean an teampaill.

Chaidh a liubhairt
na do làmhan;

A' ghibht
ris nach robh thu riamh
an dùil.

Bha thu ga chumail
ri d' aodann
is tro do speuclairean,
rinn thu sgrùdadh.

Bha thu aineolach
ro mhaiseachd a chrutha;
sèimheachd a spàgan tiugha
is a chamagan.

A' lorg buill-dobhrain
is làraich-breith;
eacsama air a chraiceann tioram.

An t-isean beag,
glèidhte ann an
nead do làmhan
mi-ghnàthach.

The Book

It made its way into the world;
out,
in the arms of its godmother.

Across the floor of the bar,
where you stood,
like Simeon,
at the gates of the temple.

It was delivered
into your hands;

The gift
you never
expected.

You held it
to your face
and through your specs,
examined it.

You ignored the beauty
of its form.
the gentleness in its plump limbs
and its ringlets.

Looking for blemishes
and birthmarks;
eczema on its brittle skin.

The little chick,
clasped in the nest of
your abusive,
callused hands;

A' cur car
air na sgiathan;
còmhdach an leabhair,
cam is fiar.

Mo chiad-ghin
air a thimcheall-ghearradh.
Fhar-chraiceann air a shracadh
le d' ìnean dubha-bhuidhe.

Neo-sgàilich thu
bar an tioma.

Dearg-ruisgte.

Goirt.

Is bho thaobh eile an t-seòmair, chuala mi

– Brag –

Sgagadh druim-leabhair;
na cnàmhan ag eugadh,
na duilleagan air flagachadh.

– Sgapadh –

Bu shin an dàn.

Thàinig buatham fodham.

Bu mhise an leabhar;
facail dèanta nam feòil.

.

Warping
the wings,
you bent
the covers back.

My first-born,
circumcised.
His foreskin torn
By your yellowing fingernails.

You unveiled
the zenith of my sensitivity.

Naked.

Excruciating.

And from the other side of the room, I heard

– Crack –

The straining of the spine,
the vertebrae giving way,
the pages dislodged.

– Scattered –

That would be their destiny.

Then clarity.

I was the book, the book was me;
words made flesh.

Mo bhriseadh-dùil,
mo neo-thèarainteachd,
mo laigse,
mo leanabachd

Agus smàl an fhìon deirg;
an sìoga sìos an duilleag-aghaidh,
far am faicear m' aghaidh fhèin.

B' ann mar
– bhuille –
don ghluc
a bha e

Is ghabh mi an aon leòn,
air at
air mo chridhe.

Bha e trom is corcair,
bho bhacadh nan deòr.

B' ann an sin
a laigh mi;
an leabhar dì-bhallta.

Ann an eòrnach
annabar
do fhealla-dhà.

Mus an deach mo thogail
aig boireannach,
a threòraich mi air ais.

An dìlleachdan mu dheireadh;
ro dhuaichnich
son dachaigh fhaighinn.

My heartbreak,
my insecurity,
my weakness,
my immaturity

And the red wine stain;
the streak across the cover,
where my face was to be seen.

It was like
– smack –
to the eye's
socket.

And the wound grew,
swollen,
on my heart.

It was heavy and purple,
from holding back the tears.

It was there,
I lay;
the disemboweled book.

Amid the debris
of your excess
and bonhomie.

Until uplifted
by a woman
who led me back.

The last orphan;
too deformed
to find a home.

Is le gog
thuirt i
Nach gabhadh tu mi.

— —

Fiù 's an duine,
le druim
a tha briste.

Faodaidh e
coiseachd ionnsachadh
a dhèanamh.

Ged a thuislicheas e
san dorchadas,

Dannsaidh duilleagan
mo leabhar-sa
sa ghaoith.

Bòrcaidh iad,
mar bhlàth
an lòtuis.

An stiogma.
An staimean.

Am blàth,
ri ùr-fhàs
air a' gheugan.

Feuch!
Ùr-fhàs
don bhlàth!

And with a cackle
she said
You wouldn't have me.

— —

Even the man
with a back
that is broken.

He
can learn
to walk.

Though he stumbles
in the darkness,

The pages of
my book
will dance in the wind.

They will bloom
like lotus
blossom.

The stigma.
The stamen.

The blossom
blooms
upon the branch.

Behold!
The blossom
blooms!

Tinneas

...Agus thig na dàintean
aig ceithir sa mhadainn.
Na rannan faramach
is earannan nam mìrean.
Bodhaigean briste is cnàmhan.

Cas,
cìreach is glas,
mar na th' aig liùdhag.

Amh,
sìlteach aig a' chruachan.

Gàirdean,
le làimh shìnte,
gun ach gin a ghlèidheadh.

Tha mi fo sgàth na h-aghaidhe
bolgaiche, gun dreach.
Na sùilean dubha drilseach.

Na bilean gàgach gorma,
dealaichte;
a' leigeil sgail sàmhaiche.

Seadh;
seo iad mo ghineanan.

Smuaintean an uilc,
a ràcas 's a dh'ath-ruitheas
mar ròcas duine.

Nì mi glaodh,
gus am bàthadh.
Òbairt abairtean....

Syndrome

...And the poems come
at four a.m.

The staccato stanzas
and shattered clauses.

Broken bodies and bones.

A leg,
waxy and pale
like that of a doll.

Raw,
weeping at the hip.

An arm,
with hand outstretched
and none to hold.

I dread the face,
bulbous and deformed.
The black, brilliant eyes.

The chapped, blue lips,
parted;
in silent howl.

Yes.
These are my embryos.

The dark thoughts
that return and replay,
like a grumbling old man.

I shout,
to drown them out.
Involuntary cries...

Torragar

Le steall a' bhus,
nì mi seasamh
ann an deise ùr
is brògan lìomhte.

Spaisdir m' anacair,
sìos an t-slighe.

Tha mi air siubhail
na mìltean mòra,
na loidhnichean-rèisg,
nan laighe, cliathach, thar na dùthcha.

Ge 's bith an cùmhnant,
cha mhair e ach fad bliadhn'
is cruinnichidh mi mo shealbhan a-rithist;

Rud sam bith a cho-fhreagras a' mhàla.

Is na rudan eile;
eòlas,
foghlam,
ionnsachadh.

An stuth air bàrr na teanga,
deargte,
verbatim.

Nomad

The bus coughs up
and I stand
in a new suit
and polished shoes.

Parade my discomfort
down the drive.

I have journeyed
many miles,
down the ley lines,
that lattice this land.

No matter the contract,
it'll only last a year
and, again, I'll pack up my things;

Whatever will fit in a bag.

And the rest;
experience,
education,
learning.

The stuff that trips off the tongue,
ingrained,
verbatim.

Ostaig

Tro uinneag an togalaich ùir,
dh'fheuch mi cuan an dùil;
boillsgeach,
neo-ruigheach,
mar dhrillich cloiche-mara,
leaghta, leannaich.

Frith-thonn,
a bha tuilleadh 's a chòir.

Crith-theas,
a dhall mo lèirsinn.

Thionndaidh mi bhon uinneag.
Cha do ghabh mi ri aisling
thàlaich,
sheilleanaich,
mar bhleideag a' ruith air an uisge;
giarag air falbh leis an osaig.

Ostaig

Through the window of the new building,
I surveyed an ocean of opportunity;
sparkling,
evasive,
like aquamarine crystal,
liquid and molten.

Ripples,
outfacing.

Mirage,
blinding.

I turned from the window.
I couldn't cope with the apparition,
enticing,
tantalising,
like a snowdrop dissolving;
skittishness away with the breeze.

Duircean

Nuair a thòisich mi,
bha mi nam dhuirc;
leis an dòchas
bhith fàs mar dharach.

Ach aig deireadh-shamhraidh,
dh'fheuch mi
an deòlag a mhealadh,
ged a shuaineadh i le
droigheann na drise.

Ach bha an t-àm sin
an dèidh-làimh
agus sheatlaig an sioc
air mo shùilean.

Ge beag an t-eun,
cha tigeadh às an ugh e.

Acorn

When I started,
I was as an acorn;
hopeful
of growing into an oak.

And at summer's end,
I tried to admire
the honeysuckle,
though entwined
with the thorny bramble.

But it was by then
too late
and the frost had
settled on my eyes.

Though the bird was small,
it would not hatch from the egg.

Gun Ainm VI
An t-Samhain, 1917

A Shaighdeir, mo ghràidh,

Is do charaid, an t-oifigear.

An dàrnaig e do stocainnean?

Am bogaich e d' fho-lèine
ma ghànraicheas air an oidhche tu i?

A bheil an fheusag air a smig,
cho mìn ri pluic do mhàthar?

Is toil leatha
na faodalaich,
na h-èisleanaich,
na cianalaich.

Tha bàidh aice
ro bhalaich beaga, brèagha,
cuideachd.

Is mise, le foighidinn,
Le gràdhadh is gaol,

A' feitheamh riut
san àirigh,

Do bhràmair, gun ainm.

Unnamed VI
November, 1917

Soldier, my love,

And your friend, the officer.

Does he darn your stockings?

Does he steep your undershirt
when you soil it in the night?

Is his bearded chin,
as soft as the cheek of your mother?

She likes
the wastrels,
the wounded,
the homesick.

She can't resist
a lovely young boy
either.

Yours, patiently,
With affection and love,

Waiting
in the shieling,

Your lover, unnamed.

Falach-fead

Choimhead mi do làmh,
a' gluasad bhuam,
far an do laigh mi na do leabaidh.

Camhanach na maidne,
a' briseadh ro mo shùilean
is thusa, ga shireadh air a' bhòrd-leapa,

Far an do dh'fhalaich mi e,
ann an drathair;
far nach fhaigheadh tu e,
am measg nan drathais
is nan stocainnean.

Choimhead mi do chorragan,
ga riaghailteachadh
is na criomagan ann an loidhne.

Cabhagach, ga roiligeadh
ann am pàipear faoin
is thusa, ri seangan nad bhriogais.

Falach-fead gun fhealla-dhà;
bha a' chùis seo trom is
farmad a' fàs annam,
gun robh do rù-rà
son an stuth sin, seach mo làmh-sa.

Hide-and-seek

I watched your hand,
moving from me,
where I lay in your bed.

The dawn of morning,
breaking before my eyes
and you, searching for it in the nightstand,

Where I hid it,
in a drawer;
where you wouldn't find it,
between your boxers
and your socks.

I watched your fingers,
arranging it
with the specks in a line.

Rushing, rolling it
in a lonely paper
and you, jittering in your pyjamas.

Hide and seek without fun and games;
the matter was grave and
envy growing in me,
as your groping was for
that stuff and not my hand.

Duine-itheach

Cluichidh e ceòl riutha
is seinnidh e uaireannan.
Òran rongach le ruitheam
ath-aithriseil.

Planntan annasach,
le gucagan steigeach;
uaine is tartmhor
air oir na h-uinneige.

Nach iadsan a tha coltach
ri chèile.
Duslach, anns an t-seòmar dhoilleir sin.

Cuiridh e an cèill,
gun agair e
gath na grèine.

Ach gach là,
nì e suidhe,
a' meòmhrachadh
taobh eile na h-uinneige
is euchdan fàgte
nam blòighean.

Cnàmhan sgapte.

Is fo bhagairt an acrais,
ithidh am plannt a dh'fhàsan fhèin,
mar a dh'itheas e na h-uairean
is na cothroman.

Cannibal

He plays music to them
and sometimes he sings.
A droning song
with repetitive rhythm.

Strange plants,
with their sticky little buds;
verdant, yet thirsty,
on the windowsill.

So similar,
they are.
Dusty in that dimly lit room.

He claims
he craves
the sunlight.

But each day,
he sits,
musing the other side
of the window
and his masterpieces
left unfinished.

Scattered bones.

When hunger strikes,
the plant will eat its own shoots,
as he eats up the hours
and his chances.

Solas-sràide

Tha am fòn na laighe fon chluasaig.
Tha e air bhith balbh fad cola-deug.

Seasaidh mi aig an doras le
ceò eadar mo chorragan,
a' coimhead air an uisge
a shileas tro ghathan bàn-dhearga
nan solas-sràide.

Tha fios agam
gu bheil thu an Inbhir Nis.
Ach 's e inneal an diabhail a dh'inns dhomh;
ìomhaighean a' cagarsaich
eadar mo chadail is mo dhùisg.

Street-light

The phone lies under the pillow.
It's been silent for a fortnight.

I stand at the door with a
fag between my fingers,
staring at the rain
falling, through the crimson rays
of the street lights.

I know
you're in Inverness.
But it was the fucking gadget that told me;
images, whispering
between my waking and my dreaming.

Iarla

Aon là
agus mac agam,
's e Iarla a bhios agam air.

Iarraidh mi air
mo mhearachdan a shoradh,
mo nàdar a loghadh is
an cànan seo a bhruidhinn.

Ach ged nach dèanadh e sin

(Ged nach fàsadh falt fad' air is feusag,
sògh air an aon cheòl,
àrdachadh air m' abhcaidean)

Cha tuitinn nam chlod;
ann an deire mo dhìomhanais,
mar an t-saobh-mhiannach Narcissus.

Aon rud
agus mac agam,
ma 's Iarla bhios agam air;

'S e mo mhiann
gum bi e coibhneil
is pròiseil
is fiù 's uasal mar ainm fhèin.

Iarla

One day,
if I have a son,
I will name him Iarla.

I will ask him
to demur my mistakes,
to forgive my nature and
to speak this language.

And even if he doesn't

(If he eschews long hair and a beard,
the same taste in music,
if he doesn't get my jokes)

I won't fall on my sword;
into the chasm of my vanity,
like a self-centred Narcissus.

One thing,
when I have a son,
if it's Iarla I call him;

It's my wish
that he'll show kindness
and self-worth
and be noble like his name.

Chun na Mara

Tha mi leam fhìn,
ann am baile far nach aithne dhomh an t-slighe.
Chan eil e ciùin.
Chan eil càraid ceanalt' còmhla rium.

Cha chluinn mi fuaim
ach crònan na cuibhle,
cabhag mac an duine.
Chan eil mo chasan cleachdte ris an t-sràid.

'S i an fhuaim as binne;
an tuil taobh a-staigh mo chinn.
Seo facal na fìrinn,
ann an sruth eadar pàipear is pinn.

Fàg mi lem chuimhne.
Cho fad 's a tha mi beò anns a' bhaile,
an àite clambraid na trafaig,
b' fheàrr leam mànran macanta na mara.

Tha mi fuar.
Cha mhise urradh an taighe agam fhìn.
Tha mi faoin;
ag èisteachd ri guthan na mo chuimhn'.

Chan fhaigh mi sìth,
ach dorchadas an t-seòmair,
nam shuidhe air an t-sòfa.
Chan eil mo shùilean cleachdte ris an t-sil.

'S i an fhuaim as binne;
an tuil taobh a-staigh mo chinn.
Seo facal na fìrinn,
ann an sruth eadar pàipear is pinn.

To the Sea

I am alone
in a city where the streets are unknown.
There is no peace.
With me, there is no familiar face

I hear no sound,
but the drone of the wheel
and the bustle of the people.
My feet aren't accustomed to the street.

It's the sweetest sound;
the flood inside my mind.
This is the word of truth,
in the flow between paper and pen.

Leave me to my memory.
As long as I'm alive in the city,
instead of racket and the traffic,
give me the gentle humming of the sea.

I am cold.
I am not the owner of my own home.
I am weak;
listening to the voices in my memory.

I find no peace,
but the darkness of the room,
sitting on the sofa.
My eyes won't accustom to the tears.

It's the sweetest sound
the flood inside my mind.
This is the word of truth,
in the flow between paper and pen.

Fàg mi lem chuimhne.
Cho fad 's a tha mi beò anns a' bhaile,
an àite clambraid na trafaig,
b' fheàrr leam mànran macanta na mara.

Is ma thig iad do mo dhoras,
chan fhaic iad ach m' fhaileas.
A-màireach bidh mi falbh chun na mara.

'S i an fhuaim as binne;
an tuil taobh a-staigh mo chinn.
Seo facal na fìrinn,
ann an sruth eadar pàipear is pinn.

Fàg mi lem chuimhne.
Cho fad 's a tha mi beò anns a' bhaile,
an àite clambraid na trafaig,
b' fheàrr leam mànran macanta na mara.

Leave me to my memory.
As long as I'm alive in the city,
instead of racket and the traffic,
give me the gentle humming of the sea

And if they come to my door,
they'll only see my shadow.
Tomorrow, I am going to the sea.

It's the sweetest sound;
the flood inside my mind.
this is the word of truth,
in the flow between paper and pen.

Leave me with my memory.
As long as I'm alive in the city,
instead of racket and the traffic,
Give me the gentle humming of the sea.

Toll Dubh

Chan fhaigh a-staigh mi.
Tha rèim m' ioma-cheàrnach
ro shleamhainn don shlot.

Chan eil mi son falbh
air saoghal iol-chainnteach.

Tha eagal
den teanga bhalbh
orm.

Bidh m' eanchainn a' tilleadh
do làrach seann fhàilinnean.
Ìomaighean dìomain.
Taibhsean chùisean nàire.

Èighidh mi.
Sionnach oidhcheach.

Ìosa / Adonaidh / Ala:
(Cuid sam bith a chuidicheadh mi.)

Cha ghabh mi m' aithreachas a shaoradh
bho chèidse mo chuid uireasbhaidh.

Chan e slìghe sgrìobhaidh,
às mo tholl dubh, tha sin.

Dungeon

I can't join in.
The rim of my polygon
is too oily for the slot.

I cannot face to leave
for a polyglot world.

The fear
of the mute tongue
is in me.

My mind slopes back,
to sites of former failings.
Images, fleeting.
Phantoms of imbroglio.

I cry out.
Nocturnal fox.

Jesus / Adonai / Allah:
(Somebody to succour me.)

I can't liberate my regrets
from the cage of my own inadequacy.

I cannot write myself out
of this dungeon.

Leòmhann

Ath-dhealbhte mar leòmhann.
Allaidh;
Sgrios mi do sheiche,
le mo chrògan is mo spògan
is laigh thu air làr a' chidsin
lag is deòrail.

Lon-dubh

Na bi fo eagal na feannaige;
's ise an lon-dubh.
Tha a h-òran cho binn,
ged a tha i diùid.

Le smioralas a sgiathan,
gabhaidh i ri sèideagan
's èirigh i cho àrd anns na speuran.

Leo

I became a lion.
Savage;
I ravaged your skin
with my claws and my paws
and you lay on the kitchen floor,
feeble and weeping.

Blackbird

Do not fear the raven;
she is the blackbird.
Her song is so sweet,
although she is shy.

With vigour in her wings,
she will take to the winds
and soar so high in the heavens.

Gun Ainm VII
Am Faoilleach, 1918

A Shaighdeir, mo ghràidh,

A bheil sneachda sna trainnsean,
mar a laigheas air mullach na h-àirigh,
far am faigh thu mi, leam fhìn,
is samhradh do chuimhne gam
fhàgail gun ach fuachd a' gheamhraidh.

Tron doras fhuair mi iteag bheag bhàn;
samhla mo ghealtachd,
nach fhalbh le sruth na gaoith.

Chan urrainn dhomh ach feitheamh
ri briseadh na dìle,
gus mo nàire a sguabadh air falbh.

Ann an sgeamhad mo sgamhan
fairichidh mi teas na h-aimsir mhoralta;
ar gaol,
mar ghainmheach san eàrra.
Na fhuil is na fhallas, na
phlosgadh mar leòinte Ghallipoli.

Is mise, le foighdinn,
Le gràdhadh is gaol,

A' feitheamh riut
san àirigh,

Do bhràmair, gun ainm.

Unnamed VII
January, 1918

Soldier, my love,

Is there snow in the trenches,
like that lying on the roof of the shieling,
where you'll find me
and the summer of your memory,
abandoned to the cold of winter.

Through the door I received a tiny, white feather;
a symbol of my cowardice,
which will not dissipate with the wind.

I can only wait
for the torrent to break,
to sweep my shame away.

In the hacking of my lungs
I feel the heat of the moral climate;
our love,
like sand in the wound.
Bleeding and sweating,
palpitating like the wounded of Gallipoli.

Yours, patiently,
With affection and love,

Waiting
in the shieling,

Your lover, unnamed.

Cleiteag

Tha cuimhne leam,
mar a shuidh i rim thaobh,
a' dealbhadh shamhlaidhean,
thar chriomagan pàipeir uaine.

Dì-chòdachadh
dìomhaireachd.
Abidil dèante le smàlag iteig,
gach litir na dhealbh;
dòigh ùr m' ainm-s' a sgrìobhadh.

Quill

I remember,
how she sat beside me,
drawing symbols
on scraps of green paper.

Decoding
a secret.
An alphabet created with flickering feathers,
each letter a picture;
a new way to write my own name.

Bean na Bainnse

Là sgòthach na Samhna,
teas mheadhan Teach Monaidh,
ràinig sinn air dheireadh
is bha thu ann mar-thà.

Air beulaibh bana-mhinisteir,
nad dhreasa;
dèante le sneachda,
bleideagan beaga deighe.

Air do chùlaibh;
sgàile a' gluasad sa ghaoith.

Taobh a-muigh na h-eaglaise,
far an deach thu gu
seirbhisean d' àraich.

A-nis, 's d' fhear-chèile
tha rid thaobh
is an-diugh, 's tu a bhean-phòsta.

Sguab sinn na neòil air falbh,
aig meadhan-là, feasgar do bhainnse.

Bho shuidheachan deireadh a' charbaid,
tharraing thu an uinneag sìos
is le griùilleas air do ghnùis,

Thuirt thu:
"Noy get ye in that limo!"

The Bride

A cloudy day in November,
in the middle of Taughmonagh,
we arrived late
and you were already there.

Before the lady minister,
in your dress;
made out of snow,
flecked with flakes of ice.

Behind you;
veil, lifted in the wind.

Outside the church,
where you went
for your childhood services.

Now, it's your husband
by your side
and today, you're the bride.

We swept the clouds away,
at midday, for your wedding vespers.

From the back-seat of the car,
you rolled the window down
and with a grin on your face,

You said:
"Noy get ye in that limo!"

Dearcan Geamhraidh

A' tionndadh suas slighe,
gu bothan beag cloiche,
air na bùird, bha geugan dearga;
dearcan-fhrangach a' gheamhraidh.

Eadarainn;
còmhradh air gaol
gus ar glèidheadh
far an fhuachd.

Winter Berries

Turning a track,
to a rock bothy,
on the tables, were ruddy branches;
the redcurrants of winter.

Between us;
talk of love
to keep us
from the cold.

Àirigh

Bidh e a' fuireach leis fhèin,
bhon a bhàsaich a mhàthair.
Thèid e don eaglais gach là,
mar is àbhaist.

Cha chleachd e a' fòn,
ach air Diciadain.
B' ann don bhaile a chaidh i,
nuair bha i beò.

Cha chuir e dealbh air falbh,
ach gun aodann.
Cha toir e seachad a sheòladh,
no ainm.

Canaidh e riutha:

Nach tig thu fhèin cuide rium,
suas gun àirigh?
Air falbh bho shùilean;
cho biorach is laobh.

Nach tig thu fhèin cuide rium,
suas gun àirigh?
Leig leam do buaireadh, a bhalaich.
Leig leam do bhuaireadh.

B' fheàrr leis a chumail leis fhèin;
b' fheàrr leis leantainn gun aire.
Gun bhith fo eagal no dragh,
ach fo nàire.

Shieling

He lives on his own,
since his mum passed away.
He goes to church every day,
like they used to.

He doesn't use his phone,
apart from Wednesday.
That's when she'd go into town,
when she was around.

He doesn't send any photos;
only faceless.
He doesn't give an address,
or his name.

And so he tells them:

Why don't you just come along,
up to the shieling?
Far from their eyes;
so prying and cruel.

Why don't you just come along,
up to the shieling?
Let me tempt you, my friend.
Let me tempt you.

He'd rather keep it this way;
he'd rather be unnoticed.
To be without fear or stress,
but still shameful.

Cha chleachd e a' fòn,
ach sa bhaile.
'S ann sa bhaile a thèid e,
gus am fairich e beò.

Cha chuir e dealbh air falbh,
ach gun aodann.   .
Ach sa bhaile tha barrachd
ri fhaotainn.

Canaidh e riutha:

Nach tig thu fhèin cuide rium,
gun taigh-òsta?
Air falbh bho shùilean,
cho biorach is laobh.

Nach tig thu fhèin cuide rium,
gun taigh-òsta?
Leig leam do buaireadh, a bhalaich.
Leig leam do bhuaireadh.

He doesn't use his phone,
apart from in town.
It's to the town that he goes
so he can feel alive

He doesn't send any photos;
only faceless.
But in the city there's plenty
to choose from.

And so he tells them:

Why don't you just come along,
to the hotel?
Far away from their eyes,
so prying and cruel.

Why don't you just come along,
to the hotel?
Let me tempt you, my friend.
Let me tempt you.

Gun Ainm VIII
Am Màrt, 1918

A shaighdeir, mo ghràidh.

Tha an tìr a' tilleadh gu torrachas
is gasan an fheòir
a' dannsadh ris a' ghaoith.

Thathar ag ràdh
gun tig caochladh air
an t-saoghal.

Gun cuir am brìosan
car anns a' chogadh.

Is nuair a thilleas tu don àirigh,
lorgaidh mo chorrag
loidhne, ann an lag
do chnàmh-droma.

Is bidh mi coma.
Ma mhaireas sinn
tro thùrlach na h-iutharna,
cuireamaid fàilte air
cruinne ùr.

Is mise, le foighdinn,
Le gràdhadh is gaol,

A' feitheamh riut
san àirigh,

Do bhràmair, gun ainm.

Unnamed VIII
March, 1918

Soldier, my love,

The land returns to fecundity
and the blades of grass
dance in the wind.

They say
that change will come
to the world.

That the breeze
will shift the war.

And when you return to the shieling,
my finger will trace
a line
in the dimple of your spine.

And I won't care a fig.
If we can live
through the fires of hell,
let's welcome
a new world.

Yours, patiently,
With affection and love,

Waiting
in the shieling,

Your lover, unnamed.

Cloisonné

Nì mi caoineadh na gealaich,
ag eirmis failc fhaighinn

Am measg cloisonné neòil;
blòighean guirmein is tuirceis.

Chan eil làmh ri sìneadh;
tha e ceart cho math don chridhe
hara-kiri a choileanadh.

Cloisonné

I cry out to the moon,
try to find a slit

Amid a cloisonné of clouds;
fragments of turquoise and indigo.

I have no hand to extend;
the heart may as well
perform hara-kiri.

Còd-suidheachadh

Choimhead mi ort nad theàrnadh;
gad shèideadh a-steach air sruth Gall,
dall an toiseach fhad 's a shocraich do
lèirsinn san t-soillse Ghàidhealach.

Màileid fo làimh, soilleir orains, mar
fhleodrainn 's do bhagannan eile, nad
fhleodragan air fhàgail aig an làn;

Gun ach mi ri cuairt-cladaich gus do
ranntannan a chruinneachadh.

Mo ghàirdean mu do ghuailnean, chuidich
mi thu a-steach do shoitheach ùr is
sgiobar cian aig an stiùir, gun fhiosta dha an
fhaoilte ga toirt dha chèile, 's e gar
seòladh sìos Sràid na h-Acadamaidh.

Goileam do chraic 's do chuairt siud thall is
seanchas ùr-bruite, làn bròn don t-saoghail.

Taobh a-staigh, botail biadhtachd nam làimh,
rinn thu rù-rà nam phreasan gus an roinninn
fìon, co-ionann, eadar dà ghlainne leathann.

Leig thu osna 's an sòfa nad chala shealach;
ar faclan na bu chèine fhad 's a leig sinn
feallsanachd na b' fhoirfe a-steach don
chòmhradh, na bhrachadh nar beòil.

Gainmheach na fhàs nam ghlainne-uarach
bàrr-charach, ri tarrsail dhan bholg iochdarach,
mar dhìle bhàite air bhathais a' phoiteir.

Code-switching

I watched you alight;
Blown in by a Hebridean current,
Blind, at first, before your eyes
Accustomed to the Highland sunlight.

Orange suitcase in hand, fluorescent,
like a buoy and your other bags,
your flotsam beached by the tide;

And only me to scavenge for your
chattels and to gather them together.

My arm around your shoulders, I
helped you into a new vessel with
an unknown skipper at the helm,
oblivious to the greetings we exchanged,
sailing down Academy Street.

Gossip and anecdotes of your trip away;
the world, freshly bruised, in the news that day.

Inside, the bottle of hospitality to hand,
you rustled through my pantry for two glasses,
wide, to pour the wine in equal share.

You sighed into the sofa, your temporary harbour;
our words now laden in conversation
with a philosophy fermenting to
fullness between our lips.

Sands grown top-heavy in my hourglass,
they could only cascade, descend like the
downpour on the drunkard's forehead.

Dh'fheuch thu mo thionndadh, bun-os-
cionn an còrnair an t-seòmair dongaidh.

Gam chur nam stagadan, a' ruigheachd air
gliongar botail eile, 's làmh lag mun amhaich.

Gidheadh spàgan 's spòlan sgìth, shiubhail
m' inntinn tro shlighe 's mi mion-eòlach oirre;
rinn grèim do dhùirn buinnig iùil dom uilinn.

Ged bheireadh tràigh, cha toireadh timcheall;
cabhsair chànanach gu tùs mo chèill.
Nad laighe a-nis air spàrr do chathrach,
bha thu nad eun-mara 's d' itean sliogte,
ro èirigh air iteag, 's cuirte car sa chòmhradh.

Thogadh mo shùilean gus d' fhaicinn,
nad fhantainn san adhar os mo chionn,
's lìon liogach ga shiabail bho do ghob;
corragan an impis ceapaigeadh sa ghaoith.

Caol-coise ri spàirn gus ceum a chumail riut,
mar phàiste aon-fhillte 's tusa, m' itealag,
trast tulgan tonn-ghluasad na tràghad.

Gun chainnt riochd-bhreug a chur air
brògan 's mogannan naisgte sa mhurasg.

You tried to invert me, topsy-turvy
in my corner of that humid room.

Sent staggering, I reached out towards the
clink of a new bottle, hand weak at the neck.

Limbs tired, nonetheless, my
mind rewound a familiar course;
your fist, the benefit of guidance to my elbow.

We may have lost the ford, but not the road;
lingual causeway to what the mind would say.
Now perched on the arm of the settee,
you were a seabird, feathers smoothed
before rising, winged by subject changed.

My eyes raised to see your ascent as
you hovered high above me, with
line suspended from your beak; almost too
sleek that fingers might snatch it from the wind.

Ankles strained to match your flight,
like a guileless child and you my kite,
cutting, diagonal, the markings of the tide.

I could no longer disguise that fact of boots, now
Fast in quicksand, trouser-leg ascendent.

Cuairteagan

Stèidhichte ann an ràgh rag às dèidh ràighe,
    sgrùd iad mi, cruinnichte, mar shliasaid bràighe
is thusa, nad shuidhe, led shùilean guail fhliuch,
    a phriob am falach-fuinn mar fheannag air fàire.

Mo bhotannan dubha is turtar an gach ceum,
    a' lìonadh an àite seunta le beum,
mo làithearachd 's mo chliù, mùnlaichte gun smior;
    breug an cruth mathanais, boiream às aonais aithreachais.

Mac-talla na falmhachd, do fhreagairt don loidhne,
    crex-crex sa chòisir, gealach measg nan reul,
fearg a' fàs annam, casan losgadh air an làr,
    an dòchas rim bhaisteadh le dìle bhon Phàrras.

Cha bu dhiùid thu mo nàire a dhùsgadh led briathran
    's am facal neo-sgrìobhte a sguabadh nam eanchainn,
nad fhalbh, a' cur fàilte air na h-urracha mòra,
    thog mi earball an dubh-thriall, mar dhìobarachan dona.

Nach leacanaich thu 's do chuartag fhaicinn ri sruth,
    is sinne, air duilleagan-bhàite bun-os-cionn,
a' seòladh far do chlagag, ath-dhealbhte mar bhodha,
    a dhùisgeas tsunami, ga thilgeil dhan bhonn.

Ripples

Settled in, rigid, row after row,
*   they scrutinized me, from their side of the brae,*
and you sat in state, with your wet-coal eyes,
*   pricking the vista like a crow on the horizon.*

My black boots, the clatter that came in each step,
*   and filled the sacred space with the sound of reproach,*
my presence, my name, pissed on to the quick,
*   lie shaped like repentance, rumour without regret.*

The echo of emptiness, your response to the line,
*   corncrake in the choir, sounding out of the crowd,*
my ire on the uprise, feet in flames on the floor,
*   my hope, to be cleansed by heaven's downpour.*

You were not shy to wake my shame with your words,
*   to whisk up the lines unwritten in my mind*
and leaving, you welcomed the great and the good,
*   like an outlaw, I tacked up the cavalcade tail.*

So why not recline, watch your ripples as they flow,
*   from the safety of our lily pads, stranded alone,*
we will navigate your pebble, as it turns into a boulder
*   and awakes a tsunami, as it's cast down to the bed.*

Leasanan

Gach turas,
ionnsaichidh mi
na rudan nach còrd rium,

Seach na rudan
a bhios mi toilltinn.

Ach 's tu a choisinn,
seach gach giollan.

Gach giollan a chòrd rium,
nach eil leth-ionnsamhail,
an turas-sa.

A-màireach

Air do sgàth-sa,
cha sgrìobh mi òran gaoil
a chaoidh,

Gus am faic mi
adhbhar
earbsa a chur
ann am frachail.

Lessons

Each time,
I learn
the things I don't like,

Not the things
I deserve.

But it's you I'd win,
above all others.

All the others I liked,
they don't half compare,
this time.

Tomorrow

Because of you,
there will be no more
sonnets,

Until I see
a reason
to place my trust
in appearances.

Eireag

Ge 's bith an stoirm
tha brùthadh ort,
Eireag bheag;

Ge 's bith an talamh a mhùth
gus do shaoghal a chur
bun-os-cionn,
Eireag bheag;

Cuimhnich gur darach do mhàthair,
a chrom a geugan
gus do cheann
a dhìon,
Eireag bheag;

A sàilean àrda
a thàirng i ris an talaimh
is a làmh
gus do nàire a sguabadh air falamh
bho do ghnùis,
Eireag bheag;

'S i do thùr,
do fhreumh,
Eireag bheag;
càrn gach cuimhne
do mhuinntire,
Eireag bheag;

Is sa mhadainn,
bidh i ann,
gus a h-iteagan a thaisbeanadh
ron t-sluagh.

Little Bird

Whatever the storm,
raging above you,
Little bird;

Whatever the landslide,
to upturn
your world,
Little bird;

Remember the oak, your mother,
who gathered branches,
your head
to protect,
Little bird;

Her high heels,
she hinged to the land,
and her hand
to brush your blushes,
from your cheek,
Little bird;

She is your tower,
your root,
Little bird.
The cairn of your kindred's
every memory,
Little bird;

And in the morning,
she'll be there,
to display her feathers
before the masses.

Ge 's bith a th' aca ri ràdh,
cuimhnich gur seòd do mhàthair.
Chan ise cearc-peucaig,
ach an coileach

Is seallaidh i a h-iteagan bòidheach,
chun na grèin'.
Nìthear moladh air a teachd
is i treun.
Cuiridh i car air an t-saoghal,
le gliocas a beòil.

Cha robh tè riamh roimhe
cho pongail,
a m' eudail,
Eireag bheag;

Mar a nì thu suain a-nochd,
dèan dearmad oirnn,
an sluagh bochd,

Oir is sinne na seachad,
ach 's tu samhla na tha ri theachd.
A' ghrian, a' ghealach
is dìleas d' fheachd,
Eireag bheag.

Whatever they have to say,
remember your mother's a warrior.
She's no wee hen,
but the peacock itself

And she'll show her feathers' beauty,
right back to the sun.
they will praise her return,
because she's strong.
She'll show them all,
with a few choice words.

There never was one,
so exacting,
wee one,
Little bird.

So forget us,
in your night-time slumbers,
the hapless host,

We are nought but the past
while you signify what's still to come.
The Sun, the Moon,
your own loyal legion,
Little bird.

Grinneal
Mar chuimhneachan air Màrtainn Bennett

'S tu ainm
am beul an t-sluaigh
is sgeulachd
a' deàrrsadh ann an
solais-shràide;
na gathan buidhe
a lìonas càr
piuthar do mhàthair.

'S mar sin, chan aithne
dhomhs' thu,
ach an artaigilean
is aithrisean
sgrìobhte an clò
air taobh cùil d' albaim.

Ann an abhagas.
Ann am faoinsgeulan
ionnsramaidean briste.
Eu-dòchas sgapte,
air sruth rag ghèile.

A-nochd
seitligidh mi ann leò gus
d' opus maximus a chluinntinn;
dèanta beò ann an technicolor.

Gach cinneadh is creideamh,
gach ceàrnach na dùthcha,
a' dèanamh luaidh air do chliù,
air leac an tine teicneòlaich.
Nan suidhe is ag èisteachd.

Grit

In memory of Martyn Bennett

You are a name
in the mouths of the people
and a story
shimmering in the
streetlights;
the yellow rays
that fill your mother's
sister's car.

And so, I don't
know you
but in articles
and round-ups
written in print
on the back of your album.

In rumours.
In the folklore of
shattered instruments.
Hopelessness scattered,
on the flow of a bitter wind.

Tonight,
I settle in with them to watch
your opus maximus unfold;
revived in technicolor.

Each creed and kindred,
every corner of the country,
in remembrance of your renown,
around the technological hearth.
Seated and listening.

Èirigh boghan nam fidhlean,
mar fhaoileagan na maidne
is brisidh beuc na fideige
tro sgleò san talla;
samhla na camhanaich brisg'
a' blàitheachadh.

Nad ainm,
nach tìodhlaic sinn
gach deur do bhròin
fon fhòid fhalamh
is nach saor sinn
do mhiann
air sruth do chiùil.

The fiddle-bows rise,
like dayspring gulls
and a whistle's roar
breaks the vapour in the hall;
symbol of the feeble dawn
blooming.

In your name,
would we bury
every tear of your sorrow
under hollow turf
and would we free
your intention
on the flow of your music.

Golem

אתה ברא גולם דבק החומר ותגזור
זדים חבל טורפי ישראל

Chruthaich iad le crèadh mi;
mo chnàmhan le clach-aoil,
m' eangan bog le mòintich-liath,
mo chraiceann le ròis bhàin.

Is laigh mi 'n caraibh na h-aibhne Usa;
a trì uiread na slat-tomhais.
Fann, is gann a rinn mi feum,
cho falamh ris a' chruinne-cè.

Aig mo chasan, rabbi 's a bhràithrean
's an aghaidhean os mo chionn,
a' cunntadh mo bhreacadh-seunain,
a' cliùthachadh seusar m' aodainn.

Bhon làmh clì, choisich e
timcheall, seachd tursan.
Le cainntearachd an unaig seunta,
lasadh creideamh cruaidh leaghte.

Bhon làmh dheas, duine eile;
seachd tursan, chaidh mun cuairt.
Brais a' cheò-theis bho mo cholann a
bhòc le gruag bho mo chlaiginn.

Fa dheòidh, chrom corp ris an làr;
le làmh chuirear bìog nam bheul,
leis an ainm naomh air meamran cuarsgach
air mo theanga, bha mi coileanta.

Golem

Ata bra golem devuk hakhomer vetigzar
zedim chevel torfe Yisroel

They created me with clay;
my bones with limestone,
my feet, damp with sphagnum moss,
my skin, the white rose.

And I lay beside the river Ouse;
Orion's belt thrice multiplied.
Weak, yet to be put to use,
as empty as the universe.

At my feet, rabbi and his brethren
and their faces far above,
counting all my freckles,
extolling my face's blemishes.

From the left, he circled me,
around these seven times.
Muttering the incantation,
the flicker of molten faith.

From the right, another man;
seven times, he went around.
The plume of vapour from my trunk
that swelled with the hair of my head.

Finally, a body bent unto the ground;
in my mouth the word was placed,
with the sacred name on folded vellum
and on my tongue I was made complete.

Agus chruthaich an Tìghearna
fear, le luaithre na tire.
Leig e anail rè am pollaibh na sròine,
is bha mi nise nam chreutair beò.

קום על רגליך

And the Lord created
man, with the ash of the Earth.
The breath of life into my nostrils
and there I came to life.

Stand up!

Sgathadh

Nach cuimhnich mi na
còig bliadhna deug,
cuirte seachad ri do thaobh,
eadar subhailc is dubhailc.

Còig seachdainnean deug
is mi nam dheuchainniche gun fhiosta
dhomh, gun chuimhne air an eucoir.

Nach teisteanas sin do luach
faclan d' fhialachd.

Nach sàsta cuid gun cheudfadh a sgathadh.

A-nis tha thu son sgrìobhadh,
thar loidhnichean m' fhianais,
le litrichean mòr' dearga
do bheachdan neo-leasaichte.

Ach cha ghabh mo chuid filidheachd
ri vandalachd dhoimh do
sgròbail no-cheangailte.

An t-àrdan fàste bho fhoghlam dìomain
is na fleòdragan nad fhalach-chuain.

Do bhreithneachadh gun bhunait.

B' fheàrr leat sgrìobhaidh gun leughadh,
bodhar ro mo bhròn
is diùltach do gach dòigh agam
mo mhìngean a thoirt seachad.

Pruning

You would that I'd remember
the fifteen years,
put by beside your
pastance and pratfalls.

Not fifteen weeks spent
unbeknownst and on trial,
unschooled in the facts of my crime.

Now isn't that testimony to the worth
of formerly generous words.

How easily the lunatic is pruned.

Now you want to write,
across the lines of my witness,
with the big red letters
of your inchoate opinions.

But my versification won't stand
for the flabby vandalism
of your disjointed scribble.

Vainglory bloated by fleeting instruction
and the flotsam left by your tides.

Your baseless ways of thinking.

You'd rather write without reading,
deaf to any such sorrow of mine
and you'd deny me my right
to express my distress as I'd desire.

Ach bheir thu orm èisteachd
ri d' eigheachd air taobh eile
fòin, cleachdte mar bhruideag.

Blosgaidh tu mi le dùd feirg',
ro do bheannachd mu dheireadh.

Guth lughdaicht' a' chrìonglaich.

Yet, you'd have me listen to
your yelling down the line,
the phone, your sucker-punch

And your fog-horn ire, blasting
before your final goodbye.

A voice diminished in victimhood.

Neòil

Sheas mi air leac an dorais,
a' feuchainn ùralachd
a tharraing don taigh.

Nuadhachd a shrùbadh
do dh'aigeann na h-aigne.
Chan
        fhaighear
                measradh
                        suaimhneas.

Mum choinneamh,
neòil na faire ri sruth
liath-
        phurpur,
                sìor-
                        shiubhalach.

Sin soetròp mo bhithe;
ath-aithris ràsanach,
taoi
        trod
                mo
                        bheatha.

Tha mi air feitheamh ri litir,
nach do chuir mi air falbh,
an ceann-ùidhe aice a ruighinn.

Clouds

I stood on the doorstep,
grappling with viridity,
to draw it into the house.

To suck in some novelty
to the chasm of my wits.
Churning
    knows
        no such
           repose.

Out there, before me,
the cloudy purview flowing
pale
    mauve,
        forever
           moving.

That zoetrope of being;
the boiling repetition,
bellicose
    turning
        of my
           life.

I am waiting for a letter,
that I never did send,
to reach its destination.

Bogha Chlann Uisnich

Fosgail, a m' uinneig do na speuran.
Bris ioma-chrith na tìm is talmhainn
is seall dhomh an saineas
eadar comasachd is miann.

'S tu clàr shùilean is cholainn;
gach ceathramh ar domhain.
Gearraidh mi sgrìob thuca,
gun ach òdan air putan.

Abair, gur mi tha pòsta
aig gach gin àraid aca.
Ann an cruinne-cè co-shìnte,
a' sireadh chothroman fa-leth.

Ach san roinn seo,
nam shuidhe air an t-sòfa,
no anns an taigh-sheinnse,
a' feitheamh ri freagairt
bho bheul an aineòlais.

Agus fhad 's a strìochdas
gach coltas don dorchadas is
gealladh nas danarra;
saoil...

A bheil fleasgach ri sporadh
na h-iarmailt
son boillsgeadh m' aire-sa;
làn dòchais is follais is
ri speuradaireachd.

Milky Way

Open, my window to the stars.
Break earthquake in time and territory
and show me the diversity
between possibility and fancy.

You grid of eyes and chests;
all quadrants of our universe.
I'll cut a route through to them,
with mere fingertip on button.

They say I am married
to each one in their exclusivity,
in each universe laid parallel,
pursuing different chances.

But on this plane,
I sit on the settee,
or in a hostelry,
suspended on a response
from the mouth of ignorance.

And as each likeness succumbs
to the darkness
and a bolder promise;
I wonder…

If there's a fellow fumbling
through the firmament
for the glimmer of my devoir;
full of hope and openness
in his stargazing.

Speactram

Cùm do bhrataichean fuadain
air falbh bhuam a-nochd.
Chan fhaic mi dathan an speactraim sin,
ach fuil an ùrlair-dhannsa.

Craiceann ga liathadh le làmh a' bhàis,
na bilean binn a' briosgadh, a' sireadh
na pòige mu dheireadh;
rud a spreag murt na splaoid.

Na h-aodainn sgàinte aig ana-chreideas,
dubhan nan sùilean leudaichte
san dorchadas a lìonas an seòmar sin
is a sgaoileas tro sgar san t-saoghal.

Solas ga sgaradh thar bàrr bàil-lainnir,
deàrrs na boillsge a' teàrnadh
son na h-uarach mu dheireadh;
a' tùirling air clisgeadh chuirp.

Na inns dhomh mu na gorm is uaine,
orains, pinc no purpaidh
ach mun bhuidh' a bh' air an oidhche ud,
dithis an achlais a chèile.

Can gun sgiath dathan an anman
do dh'fhasgadh a tha na fhìor-thèarmann,
gar fàgail seo, am measg an eòrnaich,
gus ar tuigse spìonta ath-fhighe.

Spectrum

Keep from me tonight
your fleeting flags.
I see no colour in that spectrum,
but blood on a dance-floor.

Skin drained to pallour by deathly hand,
the sweet lips strain to smack
the final kiss;
this killing-spree's inspiration.

Their faces cleaved by incredulity,
pupils dilated together
in the darkness that fills that one room
and spreads throughout our ruptured world.

Light split across a disco ball,
the shimmer descends
one last time;
settles on quivering limbs.

Talk not to me of blue or green,
orange, pink or purple,
but of the yellow lightness of that night;
a couple locked in an embrace.

Say those shades will spread their wings,
those souls find true sanctuary
and leave us here, amid the debris,
to re-weave our shattered understanding.

Uaireannan

Uaireannan,
tha e sgiobalta;
a' bualadh ort
mar bhalt na fàire.

No socarach;
a' blàitheachadh,
duilleag air dhuilleag,
mar ghucag na gealaige-làir.

Uaireannan,
's e a' ghaoth
ga misneachadh
a ceann crom a thogail,

Gus an coimhead e
dha na sgòthan,
a chuireas sneachda mìn.
'S a' bhleideag a leaghas
am meuran beag a' bhlàthain.

Uaireannan,
's e neòinean-grèine,
a' leanmhainn
teas an t-samhraidh.

Le aodann,
mòr-dhubh onarach,
a' tilleadh dhut,
suaimhneas a thùis.

Sometimes

Sometimes,
it's swift,
and conquers you
with a lightning flash.

Or it can be soft,
blossoming
petal by petal,
like the bud of a snowdrop.

Sometimes,
it's the breeze,
compelling it
to lift its wilted head,

Until it looks
into the clouds,
shedding gentle snowfall.
It's the flake that melts
in the thimble of its flower.

Sometimes,
it's a sunflower,
following the
summer swelter.

With its face,
big, black and honest,
returning to you,
its genesis and safety.

Uaireannan
tha e allmhara;
chnuasach cian-thìreil,
nach co-fhreagair am bobhl'.

No seunta,
leis a' chùbhrachd
dhaorachail, naomh.
Lus na tùise, uile-sgaoilte,
a' cur boltrachas ri do shaoghal.

Uaireannan,
's e an smeòrach,
le a truitreach
gad dhùsgadh bhod shuain.

Bha e aon uair
na shionnach,
aoileanta air an oidhche a-mhàin,
mus do chùlachadh sa mhadainn
is e lùbach fon fho-fhàs.

Uaireannan,
's e an strainnsear
ris an tachair thu
air an rathad.

No an nàbaidh;
aodann uile-làithearach,
a bha rid thaobh,
fad an t-siubhail.

Sometimes,
it's exotic;
a fruit from far away,
imperfect fit in the bowl.

Or blessed,
with its sacred,
seductive scent.
Lavender, all-pervasive,
adding perfume to your world.

Sometimes,
it's the song-thrush,
whose twittering
disturbs your sleep.

And it was erstwhile,
the fox,
with its one-night charm,
before it forsook you,
sinuous in the undergrowth.

Sometimes,
it's the stranger
you run into
on the road.

Or the neighbour;
an omnipresent face,
unnoticed
all the while.

Uaireannan,
's e am facal a-mhàin
a shàsaicheadh do dhìth.
Gun chluinntinn fad iomadh bliadhn'.

Caraid ceanalta,
ùr-thìllte à dùthaich chèin,
suiridheach le sgeòil
a chuireadh do shaoghal
caoin air ascaoin.

Uaireannan,
tha e na mhànran,
is do bhilean
mar leòmann air chrith.

Òran
nach gabh ri briathran
gus ciall a chur air do mhiann.
Fonn a' sireadh siansaidh
gus co-sheirm a choileanadh.

'S mar sin,
's e nì nach tèid a thaisbeanadh
leis an aon-neach,
no a' chòisir shlàn.

Ged nach e
matamataig,
's e ceist
gun ach aon fhreagairt cheart.

Sometimes,
it's the only word
that can satisfy your need.
Unheard for many a year.

A faithful friend,
returned from a far-off land,
courting you with tales,
that'll make your world
up-end.

Sometimes,
it's a murmur,
and your lips
like the jittering moth.

A song,
that surpasses vocabulary,
to explain your heart's desire.
A tune that seeks a harmony
to complete its musicality.

And so,
it's a thing that cannot be performed,
by the soloist alone,
or a choir in full song.

Though it isn't
mathematics,
it's a question
with one right answer.

'S e a nì deugaire dhìot
le lòchran ri lasadh,
is tu cur coinnlein ri gas,
an clas ceimig na sgoile.

'S e a tha gun riaghailt;
faireachdainn
gun rian.

'S e a' mhearachd
nach gabh a cheartachadh,

'S e a chuireas na tha seachad
is an tràth teachdail
an gnìomh.

And it'll make a teenager of you,
with a bunsen to burn,
as you hold your taper to the gas,
in the school chemistry class.

It's a thing without rules;
a feeling
without form.

It's the mistake,
you can't correct,

It's what puts your past
and future tense,
in context.

Aithneachaidhean

Chaidh rianaichean no eadar-theangachaidhean na bàrdachd a leanas fhoillseachadh anns na h-irisean seo: 'A' Ghàidhlig Dhuitseach' (*Undividing Lines* 3), 'Ainneamhag' (*The Grind* 3, *Poeming Pigeons* 1), 'Bogha Chlann Uisnich' (*Evergreen* 1), 'Cuibhrig' (*Undividing Lines* 3), 'Cagar-adhair' (*New Writing Scotland* 33), 'Dachaigh' (*Outside Culture* 1), 'Falach-fead' (*Undividing Lines* 3), 'Am Foghar' (*Cabhsair* 3:2), 'Glèidhteach Caomhantach' (*Outside Culture* 1), 'Golem' (*Brain of Forgetting* 1), 'Grinneal' (*The Journal* 45), 'Leòmhann' (*Northwords Now* 27), 'Mac-talla' (*Undividing Lines* 3), 'Mòd' (*Cabhsair* 6:2), 'Ostaig' (*Cabhsair* 6:2), 'Saighdear na Nèimhe' (*Antizine* 2), 'Sgiath' (*Northwords Now* 29), 'Solas-sràide' (*Undividing Lines* 3), 'Speactram' (*Dàna*), 'Tinneas' (*Deep Water* 1), 'Torragar' (*Outside Culture* 1, *Cabhsair* 6:2).

Bha 'Triantan' am measg còig dàin gan coimiseanadh aig Urras Leabhraichean na h-Alba airson a' phròiseict 'Dìomhaireachd' ann an 2016. Chaidh 'Ainneamhag' is 'Bioran' fhoillseachadh ann an duanaire Seòmar Leughaidh an Eilein Sgiathanaich, *A Stillness of Mind*, ann an 2015. Chaidh 'Bogha Chlann Uisnich' is 'Leòmhann' fhoillseachadh ann an *Out There* (Freight Books), air a dheasachadh le Zoë Strachan, ann an 2014. Chaidh na dàin uile 'Gun Ainm' fhoillseachadh san duanaire *Litrichean chun an t-Saighdeir gun Ainm* (Clàr) ann an 2016. Chaidh pìosan de 'Neòil' is 'Tinneas' fhoillseachadh ann an *The Atelier Project* (Blurb), air a dheasachadh le Molly Miltenberger Murray, ann an 2015.

Ghabhadh an dàn 'Foghar' a-steach do Chlàr-tìre Bàrdachd na h-Alba aig StAnza, a' comharrachadh

Acknowledgements

*The following poems were published, sometimes in earlier form or in translation, in the following periodicals: A' Ghàidhlig Dhuitseach' (*Undividing Lines *3), 'Ainneamhag' (*The Grind *3, Poeming Pigeons *1), 'Bogha Chlann Uisnich (*Evergreen *1), 'Cuibhrig' (*Undividing Lines *3), 'Cagar-adhair' (*New Writing Scotland *33), 'Dachaigh' (*Outside Culture *1), 'Falach-fead' (*Undividing Lines *3), 'Am Foghar' (*Cabhsair 3:2), 'Glèidhteach Caomhantach' (*Outside Culture *1), 'Golem' (*Brain of Forgetting *1), 'Grinneal' (*The Journal 45), 'Leòmhann' (*Northwords Now *27), 'Mac-talla' (*Undividing Lines *3), 'Mòd' (*Cabhsair 6:2), 'Ostaig' (*Cabhsair 6:2), 'Saighdear na Nèimhe' (*Antizine *2), 'Sgiath' (*Northwords Now *29), 'Solas-sràide'(*Undividing Lines *3), 'Speactram' (*Dàna), 'Tinneas' (*Deep Water *1), 'Torragar' (*Outside Culture *1, Cabhsair 6:2).*

*'Triantan' was one of five poems commissioned by the Scottish Books Trust for their 'Secrets' project in 2016. Ainneamhag' and 'Bioran' were published in the Skye Reading Room's A Stillness of Mind in 2015. 'Bogha Chlann Uisnich' and 'Leòmhann' were published in Out There (*Freight Books), edited by Zoë Strachan, in 2014. The 'Gun Ainm' cycle was published in its entirety in the anthology Litrichean chun an t-Saighdeir gun Ainm (*Clàr) in 2016. Extracts from 'Neòil' and 'Tinneas' were published in The Atelier Project (*Blurb), edited by Molly Miltenberger Murray, in 2015.*

'Foghar' was included in StAnza's Poetry Map of Scotland, marking Dowally in Perthshire. The English translation of 'Glèidhteach Caomhantach' was included in the 'To Absent Friends' online project in memory of Mark's grandmother Margaret Turner.

Dubhailigh ann an Siorrachd Pheairt. Ghabhadh ea-dar-theangachadh an dàin 'Glèidhteach Caomhantach' a-steach don phròiseact air-loidhne 'To Absent Friends', mar chuimhneachan air seanmhair Mharcais, Mairéad Nic an Tuairneir.

Bhuannaich an dàn 'Ainneamhag' duais Baker na Gàidhlig, aig Seòmar Leughaidh an Eilein Sgitheanaich ann an 2014. Ghlèidh 'Bioran' dàrna àite san aon cho-fharpais, cuideachd. Bha an dàn 'Falach-fead' air a mholadh ann an co-fharpais an Earraich aig Caidreachas nan Sgrìobhaichean (Alba) ann an 2016 agus air geàrr-liosta son co-fharpais bàrdachd na Gàidhlig aig Fèis Bhaile na h-Ùige ann an 2016. Bha na dàin 'Solas-sràide' is 'Crann' air geàrr-liosta an Duais Filíchta Dhúbhglas de hÍde aig Fèis Bàrdachd Bhaile na mBuillí ann an 2016. Bha an dàn 'Lus na Tùise' air geàrr-liosta co-fharpais bàrdachd Fèis Bhaile na h-Ùige ann an 2015. Bha an dàn 'Long-briste' air geàrr-liosta duais Off the Stanza! ann an 2014. Ghlèidh 'Grinneal' an treas àite sa cho-fharpais bàrdachd Write Up North aig Co-nasgadh Albannach nan Sgrìobhadair ann an 2015.

Chaidh ceòl a chur ris an dàn 'Ainneamhag' le Màiri Anna NicUalraig, airson Còisir Ghàidhlig Inbhir Nis agus Co-fharpais Mhic Shimidh is Thulaich Bhàrdainn a' Mhòid Nàiseanta Rìoghail, ann an Steòrnabhagh, 2016. Chaidh ceòl a chur ris an dàn 'Speactram' le Gillie NicCoinnich agus, cuideachd, le Màiri Anna NicUalraig airson a' chlàir aice, 'Dàn'.

'Ainneamhag' won the Skye Reading Rooms Gaelic Baker prize in 2014. 'Bioran' also took second place in the same competition. 'Falach-fead' was commended by the Federation of Writers (Scotland) in their Vernal competition in 2016 and was shortlisted for the Gaelic poetry prize at the Wigtown Poetry Festival in 2016. 'Solas-sràide' and 'Crann' were shortlisted for the Douglas Hyde Prize for Gaelic Poetry at the Strokestown Poetry Festival in 2016. 'Lus na Tùise' was shortlisted for the Gaelic Poetry prize at the Wigtown Poetry Festival in 2015. 'Long-briste' was shortlisted for the Off the Stanza! prize in 2014. 'Grinneal' placed third in the Association of Scottish Writers' Write Up North! competition in 2015.

'Ainneamhag' was set to music by Mary Ann Kennedy, in a choral arrangement for Inverness Gaelic Choir and sung in the Lovat and Tullibardine Competition at the Royal National Mòd in Stornoway, 2016. 'Speactram' was set to music twice, firstly by Gillie MacKenzie and secondly by Mary Ann Kennedy for her album 'Dàn'.

Mun Bhàrd

Rugadh is thogadh Marcas Mac an Tuairneir ann an Eabhraig, agus tha e air bhith a' fuireach ann an Alba fad a bheatha na inbheach. Bidh e a' sgrìobhadh bàrdachd, rosg, dràma is lèirmheasan sa Ghàidhlig is sa Bheurla.

Cheumnaich Marcas ann an Oilthigh Obar Dheathain le MA Urr. ann an Eòlas na Gàidhlig is na Spàinnise is le MLitt ann an Litreachas na h-Èireann is na h-Alba. Choilean e ceum MA ann an Sgrìobhadh Ficsean do Theilibhisean, ann an Oilthigh Cailleannach Ghlaschu, far an do bhuannaich e sgoilearachd aig MG Alba.

Chaidh ciad chruinneachadh bàrdachd Mharcais, *Deò* (Grace Note Publications), fhoillseachadh ann an 2013. Leughar dàin Mharcais ann an grunn irisean is chaidh a mholadh airson iomadh duais bàrdachd. Ann an 2014, bhuannaich e duais na bàrdachd aig Highland Literary Salon is ciad is dàrna duais ann an co-fharpais Baker son sgrìobhadh na Gàidhig aig Seòmar Leughaidh an Eilein Sgitheanaich.

Ann an 2015 fhuair e an dàrna àite, le dàn Beurla, ann an co-fharpais nàiseanta bàrdachd William Blake is bhuannaich e co-fharpais na bàrdachd Write Up North aig Co-nasgadh Albannach nan Sgrìobhadair. Ann an 2016 fhuair e Duais Dràmaire Ùr na Gàidhlig le Playwrights' Studio Scotland agus Comhairle nan Leabhraichean.

Mar neach-sgrùdaidh nan ealan, bidh Marcas a' sgrìobhadh gu cunbhalach do na h-irisean *Dàna* is *Cothrom Ùr* is tha e na dheasaiche na Gàidhlig den iris bàrdachd as spreòdaiche ann an Alba, *Poets' Republic / Poblachd nam Bàrd*.

About the Poet

Originally from York, and resident in Scotland all his adult life, Marcas Mac an Tuairneir writes poetry, prose, drama and criticism in Gaelic and English.

Marcas holds an MA Hons in Gaelic and Hispanic Studies and an MLitt in Irish and Scottish Literature from the University of Aberdeen. He has completed an MA in Television Fiction Writing from Glasgow Caledonian University on an MG Alba scholarship.

Marcas' début poetry collection, Deò *(Grace Note Publications), was published in 2013. His poetry has been published in various journals and short-listed for several poetry prizes. In 2014, he was awarded the Highland Literary Salon prize for poetry and both second and first place in the Baker Prize for Gaelic Literature.*

In 2015 he placed second in the national William Blake Poetry Prize for his poetry in English, and was a runner up in the Wigtown competition for Gaelic poetry. In the same year he was the winner of the Scottish Association of Writers' Write Up North poetry competition. In 2016 he received the Gaelic New Playwright Award from Playwrights' Studio Scotland and the Gaelic Books Council.

As art critic, Marcas is a regular contributor to Dàna *and* Cothrom Ùr *magazines and he is the Gaelic editor of one of Scotland's most exciting poetry periodicals,* Poets' Republic / Poblachd nam Bàrd.

Buidheachas

Bu mhath leam taing shònraichte a thoirt dom phàrantan, Treasag is Peadar Mic an Tuairneir, airson mo chumail a' dol, is do mo shean-phàrantan, Doireann is Seán Pádraig Mac Spealáin is Mairéad is Philib Mic an Tuairneir, nach maireann.

Do na daoine sònraichte seo, a chum taic rium is a chuidich mi bàrdachd a' chruinneachaidh seo a thoirt gu buil.

An t-Oll. Cassie Smith-Christmas, An t-Oll. Emily NicEòghainn-Fujita, Fionnghal Ros, Gillebrìde MacIlleMhaoil, Iain S. Ros, Joy Dunlop, Màiri Anna NicUalraig, Màrtainn Mac an t-Saoir, Seònaid NicGriogair, agus Roinn na Gàidhlig aig Oilthigh Obar Dheathain.

Taing shònraichte do Rosemary Ward is sgioba Chomhairle nan Leabhraichean.

Do na balaich as èasgaidh air a' Ghàidhealtachd:

Aonghas MacLeòid, Dàibhidh Boag, Iain Eachann Ros, Donnchadh MacShimidh, Dòmhnall MacÌomhair, Dòmhnall MacIllFhinnein agus Geoff Scarr, aithnichte mar Trosg.

'S e urram bhith a' gabhail òrain leibh air an àrd-ùrlar – guma fada buan ar ceòl!

Do sgioba-deasachaidh *Poblachd nam Bàrd*:

Neil Young, Duncan Lockerbie, Eddie Gibbons is Beth McDonough.

Thanks

I would like to give special thanks to my parents, Teresa and Peter Turner, for keeping me going, and to my grandparents, Dorothy and John Patrick Spencer, and Margaret and Philip Turner, requiescat in pace.

To the special people who supported me in the endeavour of bringing this collection to fruition:

Dr. Cassie Smith-Christmas, Dr. Emily McEwan-Fujita, Fiona Ross, Gillebride MacMillan, Iain S. Ross, Joy Dunlop, Mary Ann Kennedy, Martin MacIntyre, Janet MacGregor and the Gaelic Department of the University of Aberdeen.

Special thanks to Rosemary Ward and the team at Comhairle nan Leabhraichean.

To the most dapper of Highland gentlemen:

Angus MacLeod, David Boag, Iain Hector Ross, Duncan Simpson, Donald MacIver, Donald McLellan and Geoff Scarr, otherwise known as Trosg.

It's an honour to share the stage with you in song – may the music go on!

To the editorial team of The Poets' Republic*:*

Neil Young, Duncan Lockerbie, Eddie Gibbons and Beth McDonough.

Up the Republic!

Suas leis a' Phoblachd!

Do na dhaoine a leanas airson an cuid taic le mo chuid sgrìobhaidh:

Agnes Rennie, Ailsa Cullens, Alison Lang, Alison NicRath, AnnMarie di Mambro, Ann-Marie Lockerby, An t-Oll. Catriona Miller, Chris Dolan, Ciorstaidh NicLeòid, Eideard Perrin, Fiona Sturgeon Shea, Frances Poet, An t-Oll. Gonzalo Mazzei, Iain Fionnlagh MacLeòid, Karen is Kerry Mitchell, Màiri Johnstone, An t-Àrd-Oll. Mairead Bennett, Mòrag Anna NicLeòid, Rona NicDhòmhnaill, Ryoko Nara Cadiou, Stuart A. Paterson, Toria Caine, An t-Àrd-Oll. Wilson MacLeòid, Yves Cadiou nach maireann agus Zoë Strachan.

Do Chòisir Ghàidhlig Inbhir Nis is Còisir Ghàidhlig Bhaile Ghobhainn.

Agus, mu dheireadh, dhuibh uile son na bàrdachd a leughadh.

Marcas Mac an Tuairneir
Inbhir Nis, An Dàmhair 2016

To the following who have supported me in my writing:

Agnes Rennie, Alisa Cullens, Alison Lang, Alison MacRae, AnnMarie di Mambro, Ann-Marie Lockerby, Dr. Catriona Miller, Chris Dolan, Kirsty MacLeod, Edward Perrin, Fiona Ross, Fiona Sturgeon Shea, Frances Poet, Dr. Gonzalo Mazzei, Iain Finlay MacLeod, Iain Ross, Karen and Kerry Mitchell, Màiri Johnstone, Prof. Margaret Bennett, Morag Ann MacLeod, Rona MacDonald, Ryoko Nara Cadiou, Stuart A. Paterson, Toria Caine, Prof. Wilson McLeod, Yves Cadiou, requiescat in pace, and Zoë Strachan.

To Inverness Gaelic Choir and Govan Gaelic Choir.

And lastly to you all for reading the poetry.

Marcas Mac an Tuairneir
Inverness, October 2016

Lightning Source UK Ltd.
Milton Keynes UK
UKOW01f0831081016

284766UK00002B/24/P